HISTOIRE DE LA FRANCE

Claude Lebédel

« De nos jours, la plupart des jeunes grandissent
dans une sorte de présent permanent, sans aucun lien organique
avec le passé public des temps dans lesquels ils vivent »

Eric Hobsbawn (historien britannique,
spécialiste de l'histoire contemporaine).

Editions Ouest-France

« Chaque époque se fabrique mentalement sa représentation du passé historique »
(Lucien Febvre, fondateur avec Marc Bloch de l'École historique dite des Annales).

La phrase ci-dessus doit constituer un point de repère essentiel pour tout lecteur d'une Histoire de France et plus encore, bien entendu pour celui qui l'écrit ; l'importance que nous attribuons à tel ou tel événement de notre passé, la place que nous lui accordons dans l'enchaînement de ce qui constitue notre histoire doivent toujours être considérées en tenant compte de ce caractère relatif ; parfois le récit historique peut être le reflet réel d'une réalité peut-être imaginaire mais qui a marqué les esprits.

Notre époque, en ce début de troisième millénaire, est caractérisée par une mutation poli-tique considérable ; la nation française, telle qu'elle s'était affirmée après une longue évolution multiséculaire, voit certains de ses repères essentiels disparaître : la signature en 1986 de l'Acte unique européen et le Sommet de Maastricht en 1991 (qui en est le prolongement et la conséquence directe) ont provoqué la disparition d'une des expressions essentielles de la souveraineté nationale, à savoir le contrôle de sa monnaie ; demain, avec la mondialisation progressivement devenue irréversible, qu'en sera-t-il d'un des autres éléments essentiels de la vie d'une nation, sa culture ?

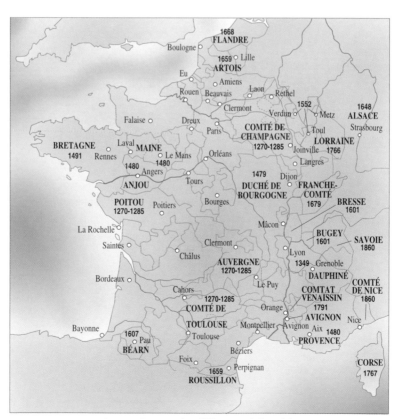

Remarques :
• Il est fait abstracti[on] de certains aspects complexes pour les trois évêchés de Me[tz], Toul et Verdun et p[our] l'Alsace.
• Ne pas confondre[le] duché de Bourgogn[e] avec la comté de Bourgogne c'est-à-[dire] la Franche-Comté.

Le rattachement des différentes régions à la France

La connaissance du passé est une base indispensable pour comprendre le présent et ne pas rester passif devant l'avenir. Or, depuis une trentaine d'années et jusqu'à une date récente l'enseignement de l'histoire au niveau du secondaire avait cessé d'utiliser le cadre chronologique comme point de repère ; les résultats d'une telle méthode pédagogique ont été désastreux pour la connaissance et la conscience de notre passé. Précisément ce petit ouvrage veut s'efforcer de fournir au lecteur des éléments d'information et de réflexion sur l'évolution de la France depuis ses origines.

L'histoire de la France n'a pas été linéaire ; elle a été soumise à beaucoup d'aléas ; les pages qui vont suivre s'attacheront à les décrire et à les expliquer. Mais auparavant il n'est sans doute pas inutile d'examiner sommairement trois questions : d'une part la délimitation du cadre géographique, c'est-à-dire le problème des frontières tel qu'il a été perçu depuis l'origine, d'autre part le sens du mot « France » et enfin le problème de la langue.

Contrairement à ce que l'on pourrait croire, la connaissance exacte du territoire français a été tardive ; certes à partir du XVIe siècle, la royauté a cherché à disposer d'une bonne représentation géographique des territoires car il fallait distinguer le domaine royal proprement dit et les fiefs relevant du système féodal ; la première carte imprimée de la France date de 1482 et manque de précision. Malgré les efforts de Colbert, le but recherché ne fut atteint en fait qu'à la fin de l'Ancien Régime, peu avant la Révolution.

En revanche, les limites générales de ce qui est devenu la France ont été fixées très tôt en ce qui concerne l'Est. En effet c'est le traité de Verdun en 843 qui les a déterminées dans le cadre du partage, entre ses trois fils, du royaume de Louis le Débonnaire ou le Pieux (778-840), fils de Charlemagne : il s'agissait de répartir le « regnum Francorum » (royaume des Francs) et la « Francie » occidentale a été attribuée à Charles le Chauve avec, à l'est, la limite dite des quatre rivières (Escaut, Meuse, Saône et Rhône), soit environ 330 000 km^2.

Au fil des siècles et avec des réminiscences incessantes de l'empire de Charlemagne, ces limites vont apparaître insuffisantes par rapport à des « frontières naturelles » jamais vraiment définies (Alpes, Pyrénées, Rhin ?). Le territoire initial s'est peu à peu agrandi durant un long processus qui a été celui de la constitution de l'unité nationale française.

Une autre question à évoquer est celle de la perception de la notion de « France ». Au début, le terme employé pour désigner l'essentiel de notre territoire actuel était la « Gaule » mais ce sont des envahisseurs, les Francs, qui lui donneront leur nom. La France, ce sera

Un oppidum gaulois : vue aérienne d'Alésia
La détermination du site d'Alésia a fait l'objet de longues discussions entre spécialistes ; symboliquement, Alésia représente la victoire définitive de la puissance romaine sur le territoire de la Gaule et la fin de la résistance gauloise.

Comité régional de la recherche archéologique de Bourgogne. Photo R. Goguey.

Louis XII (Jean Lemaire avec les « Illustrations de Gaule et singularité de Troyes » en 1511) et le poète Ronsard (avec sa « Franciade » en 1572) développent l'idée que l'origine des rois de France est à rechercher chez les Gaulois, eux-mêmes descendants des Troyens ; la légende se constitue selon laquelle ce sont les Gaulois qui ont fondé la célèbre Troie ; après la destruction de celle-ci par les Grecs, les rescapés seraient revenus, via les bords du Rhin, en Gaule où ils auraient retrouvé leurs parents (ceux qui n'étaient pas partis fonder Troie). Francion fils d'Hector et d'Andromaque serait l'ancêtre de Charlemagne. Ainsi le concept de « Gallo-Troyen » était établi ; on est passé ensuite à la notion de « nos ancêtres, les Gaulois » si chère à l'enseignement de la IIIe République. Or ceci a pour conséquence (outre le ridicule d'avoir servi de référence pour la diffusion du passé historique français dans les colonies) d'occulter complètement une des caractéristiques de la France : la complexité du mélange de ses populations. La lignée gallo-romaine (c'est-à-dire des habitants d'origine soumis à la civilisation romaine) a été de fait une lignée gallo-romaine et franque ; l'apport franc (c'est-à-dire germanique) ne peut pas être dissocié de la

d'abord l'ensemble des terres franques avec en particulier l'Île-de-France autour de Paris. L'expression « regnum Francorum » donnera naissance à partir de 1254 au terme de « Rex (roi) Franciae » ; être français ce sera se reconnaître comme sujet du roi de France.

Au XVIe siècle, de manière inattendue et mythique, la Gaule et les Gaulois vont faire leur réapparition ; un juriste au service du roi

---

« Liberté, égalité, fraternité »
Cette inscription sur les frontons des bâtiments publics date de 1880. Elle est apparue, avec diverses variantes, à partir de 1791.

base gallo-romaine ; cet apport et cette base ont été ensuite complétés par l'adjonction d'éléments celtiques, germaniques, bourguignons, basques, savoyards, etc.

La troisième question, qui est celle de la langue, a de nos jours des implications passionnelles. Le noyau initial du royaume de France ayant été l'Île-de-France, la langue pratiquée dans celle-ci s'est bien entendu progressivement imposée, en accompagnement du mouvement de centralisation caractéristique de l'histoire française, très différent quant à sa précocité de ce qui s'est passé en Italie et en Allemagne. La langue fédératrice aurait pu être le latin, utilisé de manière constante dans les chancelleries jusqu'à une date très avancée. C'est François Ier qui, avec l'Ordonnance de Villers-Cotterêts (1539), marquera le coup d'arrêt définitif au latin comme langue officielle en imposant le français dans tous les documents officiels ; ensuite pendant plus de deux siècles et demi, aucune autre disposition. Il faut attendre 1794 pour que ce principe fondamental soit rappelé par la Convention qui impose également le français dans l'enseignement, en prévoyant toutefois que l'idiome du pays (c'est-à-dire du lieu) pourra être employé mais seulement comme un moyen auxiliaire.

Celles que l'on appelle les « langues régionales » ont donc vu leur sphère d'utilisation se restreindre très fortement et le problème est devenu parfois âpre à l'époque contemporaine ; d'une part la volonté de résister à la diffusion de plus en plus contraignante, par le biais de la publicité, de la production cinématographique et télévisée ainsi que de la chanson, de la langue anglaise (ou plutôt américaine) a conduit le législateur à insérer dans notre Constitution (article 2) la phrase : « La langue de la République est le français » et à prévoir divers systèmes de protection. Mais d'autre part les mouvements que, faute d'un terme mieux approprié, il convient de qualifier de « régionalistes » ont obtenu certains droits à l'enseignement et à l'usage des langues de leur région. La question est très délicate : par exemple, est-ce vraiment un atout supplémentaire pour les habitants de telle ou telle région française de pouvoir pratiquer en plus du français leur langue régionale alors que la sphère de diffusion de celle-ci est précisément limitée à celle de l'aire de la région considérée ? Mais inversement, le maintien d'une identité locale ou régionale peut être souvent lié à celui de la langue.

Mais il est temps maintenant d'aborder le récit de l'histoire de la France.

Un ouvrage d'art romain : le Pont du Gard.
Photo Richard Nourry.

Le coq, emblème de la France

Le seul emblème officiel de la France actuelle est le drapeau tricolore tel qu'il est défini par l'article 2 de notre Constitution et non pas le coq.

Le mot latin « gallus » désigne à la fois l'habitant de la Gaule et le roi de la basse-cour.

Au XVIe siècle, la royauté française fait de cet animal son emblème, mais c'est la Révolution française qui va assurer au coq une position définitive pour la frappe des monnaies.

Pourquoi 987? Parce que cette date correspond à l'avènement de Hugues Capet, abbé laïc de Saint-Martin de Tours, seigneur élu roi par ses pairs, les comtes et ducs de Francie occidentale; la dynastie **capétienne** régnera durant 341 ans à travers quatorze rois; elle amorcera et confortera le mouvement d'unification et de centralisation de l'autorité royale sur des terres autour du noyau central de l'Île-de-France. Les autres dynasties postérieures **(Valois, Valois-Orléans, Valois-Angoulême et Bourbons)** liées à la première par voie de descendance masculine continuèrent dans la même direction.

On estime à plus de cinquante le nombre des peuples qui vivaient sur le territoire de la Gaule, le tout représentant peut-être une dizaine de millions de personnes sur la vie desquelles on ne dispose que d'informations fragmentaires.

La conquête romaine s'étendit sur plus d'un demi-siècle : de 122 à 58 avant Jésus-Christ; c'est Jules César qui la paracheva : d'abord battu par Vercingétorix à Gergovie, il le fit finalement prisonnier à Alésia.

Cette conquête par les Romains a joué un rôle décisif dans l'histoire de la Gaule car, pendant plus de quatre siècles, une profonde imprégnation de la culture et de la religion romaines s'est opérée. C'est ainsi qu'une civilisation urbaine a pu se développer à partir d'anciennes cités gauloises et surtout de cités romaines nouvelles où le mode de vie romain s'est diffusé (par exemple avec le forum, centre de la vie administrative et commerciale, les thermes, etc.). Comme les autres régions de l'Empire romain, la Gaule connut également la diffusion du christianisme.

Au début du Ve siècle de notre ère commence une période nouvelle qui va profondément transformer la culture et la civilisation gallo-romaines; de manière d'abord insidieuse et lente puis de manière beaucoup plus violente, des peuples « barbares » (c'est-à-dire parlant une langue non comprise des Romains) franchissent le Rhin et le Danube : Burgondes, Francs, Wisigoths, etc. En fait, le mouvement avait été amorcé dès le IIIe siècle par les tribus germaniques (dont les Francs) auxquelles Rome avait fait appel pour défendre ses frontières contre d'autres tribus.

Peu à peu, les Francs installés en Gaule deviennent un élément habituel de la lutte contre les nouveaux envahisseurs et occupent une place importante dans le cadre de la déliquescence de l'Empire romain.

L'Empire de Charlemagne (768-814)

C'est un chef franc, Mérovée, qui conduira la lutte contre les Huns ; ceux-ci, dirigés par Attila, seront repoussés à la bataille des champs Catalauniques, en 451. La disparition définitive du système impérial romain d'Occident en 476 ne modifie pas fondamentalement la situation. Le fait essentiel est l'émergence de plus en plus nette des Francs ; ainsi Clovis assoit son autorité jusqu'à la Loire par sa victoire à Soissons sur un rival et se convertit au christianisme ; par son sacre à Reims il marque le début d'un des traits caractéristiques de la monarchie française, à savoir ses liens étroits avec l'Église catholique.

Ce commencement du processus de constitution de l'unité française aurait pu s'arrêter là puisque, à la mort de Clovis (sans doute en 511), l'ensemble des terres franques est partagé entre ses fils. Mais l'un de ceux-ci, Clotaire, les rassemble à nouveau, ce à quoi parvient également l'arrière-petit-fils de Clovis, Clotaire II en 613, dont le fils, Dagobert, fondera l'abbaye de Saint-Denis.

L'entrée triomphale de Clovis à Tours en 508.
Par Joseph Nicolas Robert-Fleury (1797-1890).
Châteaux de Versailles et Trianon. © RMN – G. Blot.

▶ Le peuple sur lequel il régnait, les Francs, a donné son nom au territoire qu'il occupait. Par voie de conséquence, Clovis peut être considéré comme le premier roi de France mais il ne faut pas perdre de vue son caractère quasi mythique ; c'est lui qui choisit Paris comme capitale mais en définitive on sait très peu de choses historiquement prouvées sur lui.

En 752, Pépin le Bref (fils de Charles Martel, « maire du palais » qui a arrêté en 732 à Poitiers une invasion arabe) dépose le dernier roi franc mérovingien, Childeric III ; ceci s'est fait avec l'accord du pape qui sacre Pépin à Reims ; une nouvelle dynastie est ainsi mise en place, celle des **Carolingiens** dont le représentant le plus prestigieux sera Charlemagne qui régnera de 768 à 814.

Le règne de Charlemagne est important de plusieurs points de vue : il ressuscite le mythe de l'empire universel avec un sacre à Rome, par le pape, le jour de Noël de l'an 800 ; d'autre part ce règne correspond à une véritable renaissance culturelle centrée en particulier sur l'activité des abbayes (conservation et recopie de manuscrits, enseignement) ; enfin l'empire de Charlemagne s'étend sur une vaste zone géographique, de la mer Baltique à la Méditerranée, de l'Oder à l'Ebre. Mais gardons bien présent à l'esprit le fait que, puisque les nations française et allemande ne sont pas encore constituées comme telles, on peut considérer Charlemagne à la fois comme un empereur français et comme un empereur allemand (la capitale est Aix-la-Chapelle). La pratique du partage familial (déjà constatée plus haut à propos des Francs) allait aboutir à des conflits entre les petits-fils de Charlemagne (la mort opportune de deux des fils de Charlemagne,

Le serment de Strasbourg

Ce texte est d'une importance capitale ; deux petits-fils de Charlemagne (Louis le Germanique et Charles le Chauve) font prêter à Strasbourg en 842 un serment commun, en français et en allemand, à leurs troupes engagées dans la lutte contre un autre petit-fils de Charlemagne (Lothaire). L'année suivante, en 843 à Verdun un partage est signé entre les trois protagonistes, actes de naissances en quelque sorte de la Francie et de la Germanie avec, entre les deux, la Lotharingie.

Pépin et Charles, avait permis le maintien du pouvoir dans les seules mains de Louis le Débonnaire qui régna de 814 à 840) et à un véritable partage ; **le traité de Verdun en 843** marque vraiment la naissance de deux entités : d'une part la Gaule, future France entre l'Océan, l'Escaut, la Meuse et l'Ebre par Charles le Chauve, et d'autre part la Germanie pour Louis le Germanique ; entre ces deux futures nations, la Lotharangie (pour Lothaire) qui est un couloir (en gros, vallées du Rhin et du Rhône et nord de l'Italie) disputé ultérieurement par les deux nations en gestation.

D'une certaine manière on peut donc considérer que le premier roi de France fut Charles le Chauve (843-877) ; sous son règne se produisent des événements de grande portée pour l'avenir : en 847 Charles le Chauve reconnaît la souveraineté de grands seigneurs sur la Bretagne, l'Île-de-France, la Flandre et en 877 est regroupé un ensemble de textes (ordonnances) qui fondent en quelque sorte le système féodal.

À partir de 887 un conflit se développe, pour la possession de la couronne, entre deux familles : celle des descendants de Charlemagne et celle des **Capétiens** (le premier connu de ceux-ci est Robert le Fort, duc d'Île-de-France) ; le conflit est toujours arbitré en fait par les seigneurs, possesseurs du pouvoir dans de grandes régions.

Précisément, en 987, ces grands seigneurs élisent comme roi Hugues Capet.

Légende de la carte
Royaume de Charles II le Chauve
Royaume de Lothaire Ier
Royaume de Louis le Germanique
États de l'Église
● Capitales ☆ Bataille ◇ Traité

MER DU NORD
FRISE
Rhin
Elbe
SAXE
THURINGE
Aix-la-Chapelle
FRANCE ◇Verdun AUSTRASIE
Bretagne
Seine
NEUSTRIE ●Paris Reims
Orléans Ratisbonne
Loire Tours ☆Fontenoy ALAMANIE
841 ○Dijon Rhin BAVIÈRE
OCÉAN
ATLANTIQUE AQUITAINE BOURGOGNE Danube
Salzbourg CARINTHIE
●Bordeaux ○Lyon LOMBARDIE
ROYAUME Garonne Pavie
DES Toulouse Rhône Pô
ASTURIES PROVENCE
Ebre SEPTIMANIE TOSCANE ÉTATS
ÉMIRAT MER DE
DE CORDOUE MÉDITERRANÉE L'ÉGLISE
Corse ●Rome

Le partage de Verdun (843)

Charlèmagne traverse les Alpes pour aller combattre Didier, roi des Lombards en 773, par Eugène Roger (1807-1840).
Ce tableau est représentatif de l'engouement manifesté au XIXe siècle pour les débuts de l'histoire de la France.
Châteaux de Versailles et Trianon. © RMN – G. Blot.

LA FRANCE ROYALE (987-1789)

Avec le recul du temps, cette longue période de huit siècles peut être considérée de deux manières : ou bien on insiste sur la continuité et dans ce cas c'est l'agrandissement du domaine royal sur lequel on insiste avec son corollaire la lutte du pouvoir central envers les grands féodaux et avec sa conséquence l'instauration d'une monarchie absolue ; ou bien l'accent est mis sur les grandes crises que traverse le pouvoir royal (guerre de Cent Ans de 1337 à 1453, guerres de Religion de 1560 à 1598, Fronde de 1648 à 1653) avec surtout la crise fondamentale qui touche le cœur du système politique et idéologique à partir du milieu du XVIIIe siècle.

Aucune de ces deux grandes lignes de force ne doit être privilégiée aux dépens de l'autre. Les événements extérieurs (ambitions des pays voisins, résistance de ceux-ci aux ambitions françaises) jouent souvent un rôle déterminant. L'histoire de la France n'a pas été linéaire, elle a été la résultante d'un ensemble de facteurs complexes qu'il faut s'efforcer d'expliquer et de relier entre eux.

Tenant compte de ces remarques et dans un souci de clarté nous étudierons donc successivement les périodes suivantes :

— d'Hugues Capet (987) à la mort sans héritier direct mâle de Charles IV en 1328 ;

— la très grave crise que constitue la guerre de Cent Ans ;

— après celle-ci l'affermissement du pouvoir royal malgré la nouvelle crise très grave qu'ont été les guerres de Religion que saura conclure Henri IV ;

— avec l'avènement de Louis XIII (1610) commence une ère d'affirmation de la puissance royale à l'intérieur conjuguée avec ce que l'on a pu appeler la « prépondérance française » à l'extérieur ;

— la mort de Louis XIV (1715) dont le règne fut le plus long de l'histoire de France (de 1661, début de son règne personnel, à 1715, soit cinquante-quatre ans) donne libre cours à des courants de pensée qui à travers la Régence, pendant la minorité de son arrière-petit-fils Louis XV, le règne de celui-ci et surtout celui de Louis XVI mettront en cause des principes considérés jusque-là comme indiscutables.

La dynastie capétienne et l'affirmation progressive du pouvoir royal

Lorsque Hugues Capet monte sur le trône, le pays est loin d'avoir trouvé l'assise territoriale, économique et politique que nous pourrons constater à la veille de la guerre de Cent Ans.

Le domaine royal et les terres des grands vassaux au XIIe siècle

L'important est que les rois de France se sont efforcés (et ont réussi) dès le début à assurer leur succession et ce dans un cadre féodal où le poids des grands vassaux était considérable ; de vastes principautés ou duchés se sont constitués, profitant de la disparition d'une autorité centrale après Charlemagne : Aquitaine, Gascogne, Normandie (où se sont installés les envahisseurs vikings), Toulouse.

À partir d'une date difficile à fixer (milieu du XIe siècle) des éléments nouveaux interviennent : l'amélioration des techniques de culture (le collier d'attelage, le matériel comme les socs, les pics, le passage de l'assolement quadriennal à l'assolement triennal ce qui élimine une année de jachère, les moulins à eau) contribue à un essor démographique d'où de très grands défrichements. D'où également le développement des villes, ce qui aura des conséquences politiques.

Pour parvenir à asseoir leur autorité, les rois de France sauront habilement utiliser la situation.

Premier élément : ils ont été sacrés au moment de leur couronnement et bénéficient d'un appui de l'Église catholique qui ne leur sera jamais refusé par celle-ci. Un exemple caractéristique est fourni par Louis VI (1108-1137) qui s'appuie sur Suger, abbé de Saint-Denis. Par le sacre, le roi est réputé capable d'opérer des miracles par le toucher, d'où l'importance si justement accordée par le grand historien Marc Bloch au concept de « rois thaumaturges ».

Deuxième élément : les rois ont su utiliser les innombrables conflits opposant entre eux ses vassaux ; peu à peu la société féodale se mettait en place ; en haut les rois qui sont suzerains suprêmes, très au-dessus des autres seigneurs à cause de leur caractère sacré.

La constitution d'une société « en ordres » contribuait aussi à asseoir l'autorité royale puisque les seigneurs, la noblesse, n'étaient que le deuxième ordre, après le premier qui était le clergé. Et précisément le troisième ordre (le « tiers état ») dans son élément urbain allait se révéler un auxiliaire et souvent un allié de l'autorité royale. L'attribution par les rois aux nouvelles villes (le mouvement urbain est très vivant à partir du XIIe siècle) de chartes de franchise plaçait les communes en dehors du cadre féodal.

La monarchie capétienne a su également utiliser les possibilités de constructions juridiques que lui offrait le renouveau, la résurrection, du droit romain ; peu à peu est ainsi apparu un ensemble de concepts, de textes qui justifiaient

Philippe Auguste à la bataille de Bouvines, le 27 juillet 1214, par Horace Vernet (1789-1863), qui s'est spécialisé dans les représentations de batailles. Châteaux de Versailles et Trianon. © RMN.

et confortaient l'idée d'État, ce qui constituait un progrès fondamental par rapport au cadre féodal, accompli par ceux que l'on a appelés les « légistes » de Philippe le Bel (début du XIVe siècle) ; ce sont eux qui proclamèrent que *le roi de France* était « *empereur en son royaume* ».

Tout ceci se déroula à travers de nombreux conflits et péripéties.

Péripéties internes à mentionner en premier ; il faut attendre 1242 pour que le roi Louis IX (Saint Louis) fasse accepter le principe selon lequel les seigneurs possédant des fiefs en France et en Angleterre doivent choisir celui des deux suzerains auquel ils entendent rendre hommage. Il est du reste difficile de séparer les aspects intérieurs et les aspects extérieurs, par exemple lorsqu'un conflit armé oppose Philippe Auguste à Richard Cœur de Lion ou encore Philippe Auguste à des seigneurs flamands, anglais et à Othon d'Allemagne. Dans ce dernier cas, la **bataille de Bouvines** (1214) a une signification particulière : les contemporains l'ont perçue comme une victoire nationale, elle **est devenue le fait fondateur de l'unité nationale.**

Un exemple intéressant de l'habileté des rois de France à utiliser des conflits dans lesquels ils sont appelés à intervenir pour augmenter le domaine royal nous est fourni par l'affaire cathare. Ainsi Philippe Auguste puis Saint Louis profitent de la guerre-croisade contre les hérétiques en Albigeois (cathares) pour en fait mettre la main sur les terres (l'Occitanie pour simplifier) du comte de Toulouse ; ainsi un grand vassal dangereux par son alliance avec l'Aragon est annihilé.

Dans quel état se trouve donc la France au moment où va éclater la très grave crise de la guerre de Cent Ans, c'est-à-dire vers 1330 ?

La France n'a pas encore atteint les limites du traité de Verdun et de plus elle est un ensemble hétérogène : le domaine royal proprement dit avec pour noyau l'Île-de-France, les apanages ou parties du domaine données aux enfants du roi et les grands fiefs extérieurs au domaine relevant de grands vassaux (autonomes en fait). Il n'existe pas encore d'impôt perçu par le roi et de ce fait, faute de ressources, celui-ci ne dispose pas d'une armée relevant de lui seul ; il demeure dépendant du système de l'ost féodal (un vassal doit 40 jours par an de « service »).

Mais la puissance royale s'est déjà affirmée et est reconnue tant à l'intérieur par la plu-

Le système féodal

Le système féodal s'est développé à partir du Xe siècle en France et en Allemagne (vallée du Rhin essentiellement) et a été « exporté » d'abord vers l'Angleterre grâce à la conquête de celle-ci par le Normand Guillaume le Conquérant à partir de 1066 et ensuite vers la Terre sainte (de nos jours Israël, Liban et Syrie) grâce aux croisades. L'apogée de son fonctionnement se situe aux XIIe et XIIIe siècles.

Il s'agit d'un ensemble d'institutions qui définissent des obligations de service et d'obéissance d'un « vassal » envers un « suzerain » en échange d'obligations de protection et d'entretien du « suzerain » envers ses « vassaux » ; le tout est organisé de manière pyramidale avec des relations croisées ; tel suzerain peut être le vassal d'un autre seigneur ; le suzerain suprême est le roi qui en principe n'a que des vassaux, même si certains d'entre eux sont en réalité plus puissants que lui.

Points de repère

1066 : Guillaume le Conquérant, duc de Normandie, conquiert l'Angleterre et transplante le système féodal français.
1180-1223 : règne de Philippe II (Philippe Auguste).
1226-1270 : règne de Louis IX (Saint Louis).
1285-1314 : règne de Philippe IV (Philippe Le Bel).

Un exemple d'art roman : deux chevaliers sur un chapiteau historié de Notre-Dame-du-Port à Clermont-Ferrand (Puy-de-Dôme).
Photo Hervé Champollion.

La loi salique

La loi salique a été invoquée pour la première fois en 1328 par les États généraux, réunissant les représentants de la noblesse, du clergé et des villes : les femmes sont déclarées, juridiquement, incapables d'avoir accès à la succession du roi mort.

part des vassaux qu'à l'extérieur par les puissances limitrophes. Bien plus, le roi de France peut maintenant s'affranchir d'un partenariat trop étroit avec l'Église ou plus exactement avec la Papauté ; le conflit (1302-1305) entre Philippe le Bel et le pape Boniface VIII est révélateur à cet égard : c'est le début d'une politique gallicane face aux positions ultramontaines, c'est-à-dire romaines ; Philippe le Bel fera élire un pape français et transférer le siège de la papauté à Avignon (de 1309 à 1378). Autre signe des temps : Philippe le Bel convoque en 1302 les premiers états généraux réunissant des représentants des trois ordres (clergé, noblesse et communes).

Le XIII\ :superscript:`e` siècle au sens large (de Philippe Auguste à la mort de Philippe le Bel) a vraiment vu l'émergence de la nation France, dans une période de croissance et de transformation. L'**art roman** avait atteint son apogée vers 1100 ; au XIII\ :superscript:`e` siècle (la chantier de Chartres a débuté en 1194) l'**art gothique** ou ogival, à cause de ses croisées d'ogives s'épanouira ; le rôle de Paris comme centre intellectuel est reconnu.

États généraux de Paris réunis à Notre-Dame après la mort de Charles IV le 1er février 1328 ; la loi salique est invoquée pour la première fois.
Tableau de Jean Alaux dit Le Romain (1786-1864).
Châteaux de Versailles et Trianon. © RMN – G. Blot.

La crise de la guerre de Cent Ans

Au-delà des péripéties de cette longue période de plusieurs générations (péripéties que le cadre de ce petit ouvrage ne permet pas de décrire) il convient de comprendre quelle a été son importance essentielle pour le destin de la France qui a failli éclater voire disparaître pour des causes internes et externes.

L'origine de cette crise ? Un problème de succession sur le trône de France. En 1154, Henri Plantagenêt est à la fois duc de Normandie, roi d'Angleterre et seigneur d'Aquitaine (il a épousé Aliénor d'Aquitaine, divorcée de Louis VII) ; il demeure vassal du roi de France mais un vassal plus puissant que son suzerain. En 1328 son successeur est Edouard III, petit-fils de Philippe le Bel par une fille de celui-ci.

Au même moment, la succession directe n'est plus assurée en France : les trois fils de Philippe le Bel sont morts sans succession masculine. Les *États généraux de 1328* appliquant

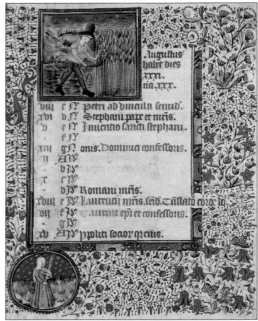

*Calendrier d'un livre d'heures du xvᵉ siècle :
le mois d'août, la moisson.*
L'examen attentif des miniatures figurant sur ces véritables calendriers individuels permet de mieux connaître la vie quotidienne à cette époque.
Paris, musée du Moyen-Âge, Cluny. © RMN, H. Lewandowski.

la loi salique décident d'exclure les femmes de la succession et entérinent le couronnement de Philippe III, neveu par la voie masculine de Philippe le Bel. Le roi d'Angleterre prête serment de fidélité au nouveau roi de France en 1329, se rétracte en 1337 en déclarant la guerre.

Les désastres militaires s'accumulent avec pour points culminants les traités de Brétigny (1360) et de Troyes (1420) ; en 1422 le royaume de France se limite aux territoires repris entretemps au sud de la Loire. Un sursaut intervient : Jeanne d'Arc conduit Charles VII à Reims pour y être sacré et peu à peu jusqu'en 1449 les Anglais sont expulsés de France (seul Calais reste anglais).

Bien entendu de si graves difficultés externes favorisent l'essor des conflits internes dont nous ne citerons que deux. Etienne Marcel, prévôt des marchands de Paris, conduit l'opposition urbaine au roi de France, se déclare l'allié des paysans insurgés (les « jacques ») et en fin de

La France pendant la guerre de Cent Ans

« La Pucelle » : Jeanne d'Arc à la tête de son armée, par Craig Franck (1874-1918). La conception de ce tableau s'inspire visiblement des représentations de batailles du peintre italien Uccello (1397-1475). Musée d'Orsay. © RMN, G. Blot.

compte veut livrer Paris aux Anglais mais la population parisienne refuse cette attitude et Etienne Marcel est assassiné (1358).

En 1388 le danger pour l'unité nationale provient du conflit violent, armé, entre les Bourguignons et les Armagnacs, partisans de la famille royale ; c'est le début d'un problème qui se posera au-delà de la guerre de Cent Ans : celle d'un grand vassal très puissant, le duc de Bourgogne, face au roi de France.

À tout cela s'ajoutait le problème des « grandes compagnies », c'est-à-dire des groupements de soldats mercenaires sans solde qui dévastaient les campagnes, en particulier à l'époque de **Charles V** (1364-1380) dont le règne a marqué un redressement.

L'affermissement du pouvoir royal, de Charles VII à Henri IV

À partir de la fin de la guerre de Cent Ans (qu'aucun traité n'a officiellement close), c'est-à-dire au milieu du XVe siècle, le pouvoir royal peut reprendre sa politique antérieure.

Le redressement de la France s'opère dans un contexte général très favorable ; nous sommes à l'orée des grandes découvertes (celle en 1492 de l'Amérique) mais aussi en un temps de découvertes techniques qui marquent le XVIe siècle, diffusées grâce à l'utilisation de l'imprimerie. L'économie marchande se développe et avec elle une classe sociale, la bourgeoisie pour laquelle le cadre féodal est un carcan.

Politiquement il faut noter qu'à partir de cette fin du XVe siècle, jamais plus le système de succession par la lignée mâle ne sera remis en question. Les rois se dotent des deux outils indispensables pour leur politique : l'instauration à partir de 1439 d'un impôt permanent, une armée royale (les gens d'armes) à partir de 1445.

Deux affaires féodales furent réglées avant 1500. Tout d'abord le problème de la *puissance bourguignonne* ; Charles le Téméraire, grand vassal, voulait constituer un royaume en reliant Bourgogne et Pays-Bas par une mainmise sur l'Alsace et la Lorraine ; sa mort en 1477 à Nancy permit à **Louis XI** de s'emparer du duché de Bourgogne.

À l'ouest, le riche *duché de Bretagne*, vassal du roi de France, agissait avec une très grande autonomie. Le dernier duc meurt en 1488 avec pour héritière une seule fille ; celle-ci proposa sa main à Maximilien d'Autriche, ce qui heureusement pour la France n'aboutit pas ; finalement elle épousa Charles VIII en 1491 d'où une incorporation personnelle du duché à la France.

Ceci nous conduit à aborder la question de la politique extérieure française ; en effet c'est du début du XVIᵉ siècle que date une de ses lignes directrices : la lutte contre les Habsbourg afin d'éviter l'encerclement ; le mariage de Marie de Bourgogne avec Maximilien d'Autriche fera de l'empire de **Charles Quint** une puissance redoutable même si, à sa mort, le partage de cet empire entre les Habsbourg d'Espagne et ceux d'Autriche aboutit à une situation plus complexe.

Les ambitions françaises sur le nord et le centre de l'Italie rendent le choc armé inévitable ; durant la première moitié du XVIᵉ siècle **les campagnes militaires de François Iᵉʳ** sont nombreuses, particulièrement de 1521 à 1526, de 1536 à 1538 et de 1542 à 1544. Toute cette « politique italienne » échouera mais ce sont ces guerres qui permettront la diffusion des idées de la Renaissance en France.

Au milieu du XVIᵉ siècle, avec Henri II, le conflit prend une tonalité particulière ; déjà François Iᵉʳ avait recherché (et obtenu) l'alliance ottomane contre les Habsbourg ; avec Henri II (1547-1559) débute ce qui deviendra une constante de la politique française que Louis XIII et Louis XIV pratiqueront avec efficacité : rechercher l'alliance de toutes les forces susceptibles d'affaiblir l'adversaire par exemple avec les protestants suisses des Grisons pour bloquer la route des Alpes aux troupes espagnoles allant du Milanais aux Pays-Bas en révolte contre l'Espagne ou avec les Hongrois en majorité calvinistes en révolte contre Vienne.

L'entrée de Charles VIII à Naples le 12 mai 1495, tableau de Eloi Firmin Feron (1802-1876).
Châteaux de Versailles et Trianon. © RMN.

Charles Quint reçu par François Iᵉʳ à l'abbaye de Saint-Denis, par Antoine-Jean Gros Baron (1771-1835).
François Iᵉʳ et Charles Quint, adversaires irréductibles, se rencontrèrent à plusieurs reprises d'autant que le roi de France accorda à l'empereur un sauf-conduit pour passer à travers la France pour rejoindre l'Espagne.
Musée du Louvre. © RMN, G. Blot.

*Scène de la Saint-Barthélemy, assassinat de Briou,
gouverneur du prince de Conti, 24 août 1572,
par Joseph Nicolas Robert-Fleury (1797-1890).*
Musée du Louvre. © RMN.

*Assassinat d'Henri IV et arrestation de Ravaillac
le 14 mai 1610, par Charles-Gustave Housez (1822-1880).*
Cet assassinat a lieu à un moment où Henri IV prépare
une intervention militaire contre l'Espagne, si bien que
mobiles d'ordre intérieur et mobiles d'ordre international
se mêlent dans cette affaire.
Château de Pau. © RMN – R. G Ojeda.

Précisément sous Henri II (déjà sous François Ier) les idées de réforme lancées par Martin Luther se diffusent largement et une fraction importante de la population, appartenant aux différentes couches sociales, se convertit à la religion huguenote, calviniste. Le problème de religieux, de conscience individuelle au départ devient vite politique et national. Aux yeux de certains et en particulier du roi et de ses partisans d'un pouvoir fort, centralisé, l'existence d'un « parti » huguenot est un danger mortel pour l'unité du royaume.

Bien plus l'attitude du roi envers les calvinistes apparaît trop laxiste à certains qui s'organisent en véritable groupement intransigeant, la Ligue où se retrouvent des adversaires de la volonté centralisatrice qui sera toujours celle de la royauté française. Dernier facteur de complexité : l'intervention en sous-main ou très ouvertement de puissances étrangères soucieuses tout à la fois de soutenir leurs coreligionnaires (Espagne pour les catholiques, Angleterre anglicane pour les calvinistes) et de favoriser tous les courants opposés au pouvoir royal.

Les guerres d'Italie

À partir de 1492 et pendant environ un demi-siècle, la politique extérieure française est dominée par l'ambition des rois, essentiellement Charles VIII et François Ier, à faire valoir ce qu'ils considèrent comme leurs droits sur le royaume de Naples. Charles d'Anjou, dernier représentant de sa famille, avait légué au roi Louis XI ses droits à la couronne de Naples dont il avait été chassé par la famille d'Aragon; Charles VIII, fils de Louis XI, veut récupérer cet « héritage »; Louis XII, époux de la veuve de Charles VIII, veut en plus récupérer le duché de Milan, aux mains de la famille Sforza, puisqu'il est l'arrière-petit-fils du duc Jean Galeas-Visconti, seigneur de Milan. Toute cette politique italienne échouera mais ce sont ces guerres qui permettront la diffusion des idées de la Renaissance italienne en France.

La lutte sera longue, acharnée, avec des atrocités commises des deux bords, en particulier de 1562 à 1593 ; en 1589 le roi Henri III que la Ligue a déclaré déchu doit faire appel aux troupes calvinistes pour reprendre la situation en main ; il en mourra, assassiné par le moine Jacques Clément, après avoir reconnu comme successeur Henri de Bourbon qui devient Henri IV après s'être reconverti au catholicisme. C'est lui qui clôturera en quelque sorte cette très grave crise interne par son édit de Nantes (1598).

Vers la monarchie absolue : Henri IV, Louis XIII, Louis XIV

Il existe une très grande continuité dans l'action de ces trois rois, d'autant que deux traits permettent d'établir un rapprochement : à deux reprises il a fallu recourir à la pratique de la régence assurée par la reine mère en raison de l'âge du nouveau roi (Marie de Médicis pour Louis XIII et Anne d'Autriche pour Louis XIV : on notera qu'il s'agit de deux étrangères de naissance) et dans les trois cas la direction des affaires a été assurée un certain temps par un binôme : Sully et Henri IV, Richelieu et Louis XIII, Mazarin et Anne d'Autriche. Mais l'essentiel est dans la continuité de la politique suivie.

Les guerres de Religion auraient pu provoquer l'éclatement de l'unité nationale mais en fait elles ont servi de rebond à la politique de centralisation et d'assise du pouvoir royal.

Le développement de l'économie marchande et ses conséquences sociales (naissance de la puissance et des ambitions de la bourgeoisie) ont accentué le dépérissement du système féodal, obstacle à l'exercice de l'autorité royale. La première moitié du XVIIe siècle voit le dernier sursaut de la noblesse opposée à cette autorité avec le mouvement de la *Fronde* (1648-1653), qui ne peut toutefois être réduite à un simple mouvement nobiliaire. Richelieu qui, dès 1624, s'était attaché à restreindre le pouvoir

politique de la noblesse, avait été soutenu par Louis XIII (Journée dite des « Dupes », 1630). C'est Louis XIV qui parachève l'évolution en « domestiquant » la noblesse et en bloquant la volonté du Parlement de Paris, organisme purement judiciaire, de jouer un rôle politique en émettant des « remontrances » et en refusant l'enregistrement de décisions royales.

L'autoritarisme royal s'est manifesté avec force dans le domaine religieux ; après un siège, Louis XIII avait occupé la forteresse protestante de La Rochelle qui voulait s'allier à l'Angleterre (1628). Louis XIV voudra régler par des conversions forcées le problème protestant ; la révocation de l'édit de Nantes en 1685 provoquera à la fois l'exil de nombreux calvinistes, qui seront un appoint important pour le développement d'un Brandebourg accueillant et les violences exercées sur les calvinistes des Cévennes (les camisards, 1702-1705). Même attitude de force à l'égard des jansénistes avec la destruction de l'abbaye de Port-Royal en 1709 et l'emprisonnement de nombreux jansénistes.

Situation des protestants

1559 : publication de la « Confession de foy » des calvinistes français.

1562 : début des guerres de Religion entre catholiques et calvinistes.

1572 : massacres de calvinistes (Saint-Barthélemy).

1598 : édit de Nantes du roi Henri IV, calviniste converti au catholicisme. Liberté de conscience pour les calvinistes.

1685 : Louis XIV révoque l'édit de Nantes ; suppression totale de la liberté de conscience : conversion ou exil pour les tenants de la « religion prétendue réformée » (RPR).

1702-1710 : révolte des paysans calvinistes des Cévennes.

1787 : reconnaissance par Louis XVI de l'existence civile des protestants.

Colbert présente à Louis XIV les membres de l'Académie royale des sciences créée en 1667, par Henri Testelin (1616-1675). Cette création correspond à une double volonté : d'une part assurer un contrôle étroit des milieux intellectuels dans les domaines les plus divers (Académie française créée sous Louis XIII) et d'autre part assurer la diffusion des découvertes en matière scientifique, en faisant appel aux talents les plus variés. Châteaux de Versailles et Trianon. © RMN – G. Blot.

Le conflit avec la papauté (1678-1693) exprime la volonté de Louis XIV de faire reconnaître les libertés de l'Église (française) gallicane en particulier à propos de la nomination des évêques mais ce fut finalement le pape Innocent XII qui l'emporta.

Monarchie absolue et absolutisme ne sont pas deux termes identiques; la France de Louis XIV n'est pas encore un État homogène; dans les régions intégrées progressivement au royaume subsistent des *états*, c'est-à-dire des assemblées qui se prononcent en particulier sur la levée des impôts. Certes, les pouvoirs de l'administration ont été renforcés, passant aux mains des *intendants* « de police, justice et finances », agents permanents, un par *généralité* nommé par le roi; ce sont eux qui mettent en pratique une politique économique dirigiste (le colbertisme) avec les *inspecteurs des manufactures*. Le pouvoir central est directement aux mains de Louis XIV,

Racine lisant Athalie devant Louis XIV et Madame de Maintenon, par Julie Philipaut (1780-1834). Musée du Louvre. © RMN, Arnaudet.

« Le siècle de Louis XIV »

Par cette formule due à Voltaire, il est d'usage de désigner une période qui s'étend en fait sur deux règnes (Louis XIII et Louis XIV) et durant laquelle la France a connu un développement culturel considérable : en littérature Corneille, Molière, Racine, La Bruyère, La Fontaine, Madame de Sévigné, Pascal, Bossuet, Saint-Simon (connu postérieurement), etc.; en peinture Le Brun, Mignart, Vouet, Poussin, etc.; en architecture Mansart, Perrault, etc.

Réparation faite à Louis XIV par le doge de Gênes dans la galerie des Glaces à Versailles le 15 mai 1685, par Claude Guy Halle (1652-1736). Le doge, de par les statuts de la ville de Gênes, n'avait pas le droit de sortir de celle-ci ; c'est dire le caractère absolument extraordinaire de cette « réparation » qui constituait en fait un acte de soumission humiliant.
Châteaux de Versailles et Trianon. © RMN – G. Blot/C. Jean.

sans partage ; les ministres ne sont en fait que des grands commis : **Colbert** (1619-1683), **Louvois** (1630-1691) ; la *noblesse de robe*, issue de la bourgeoisie riche, évince progressivement la vieille *noblesse d'épée* et occupe l'essentiel des postes administratifs.

La politique extérieure a été elle aussi caractérisée par une grande continuité. Sous Louis XIII, l'intervention directe de la France en 1635 dans la guerre de Trente Ans (1618-1648) se fit contre les Habsbourg d'Autriche et d'Espagne ; c'est dire que la France était alliée au camp protestant animé par la Suède et des princes allemands et aussi aux Pays-Bas calvinistes en révolte contre l'Espagne. Le traité des Pyrénées (1659) permet à la France de conquérir l'Artois et le Roussillon. Nouvelle guerre avec l'Espagne qui aboutit, par le traité d'Aix-la Chapelle (1668), à l'acquisition de la Flandre.

Mais un fait nouveau se produit, lourd de conséquences : inquiets de la volonté française d'hégémonie, l'Angleterre, la Suède et les Pays-Bas forment en 1668 une coalition, qui finira par regrouper presque l'ensemble de l'Europe : guerre de Hollande à partir de 1672 ; la victoire revient à la France qui, par le traité de Nimègue (1678) obtient

La France à la mort de Louis XIV

la Franche-Comté et des places en Flandre (Valenciennes, Cambrai, etc.).

Encore une guerre (1688-1697) avec le traité de Ryswick (1697) qui marque l'arrêt de l'hégémonie française ; la fin du règne de Louis XIV correspond à une guerre longue (1701-1714) et difficile, celle de la succession d'Espagne ; la France est alliée à l'Espagne dont un des petits-fils de Louis XIV est devenu le roi. La France est vaincue mais garde son territoire au traité d'Utrecht (1714).

Le temps de l'hégémonie et même celui de la prépondérance est terminé.

L'apparition et le développement d'idées nouvelles (1715-1789)

À la suite de nombreux décès l'héritier de la couronne à la mort de Louis XIV était un enfant de cinq ans, ce qui entraînait l'établissement d'une régence. Mais les événements ne se déroulèrent pas comme l'avait prévu Louis XIV dans un testament qui favorisait plusieurs de ses nombreux enfants bâtards au

Points de repère

1721: « Lettres persanes » de Montesquieu (1689-1755)

1722: « Lettres philosophiques » de Voltaire (1694-1778)

1723: « Pensées philosophiques » de Diderot (1713-1784)

1724: « L'esprit des lois » de Montesquieu

1725: « Lettre sur les aveugles » de Diderot

1726 : « Discours préliminaire » à l'« Encyclopédie » de D'Alembert (1717-1783)

1755: « Discours sur l'origine de l'inégalité » de J.-J. Rousseau (1712-1778)

1762: « Le contrat social » de J.-J. Rousseau

1784: « Le mariage de Figaro » de Beaumarchais (1732-1799).

La reine Christine de Suède, entourée de sa cour, écoutant Descartes faisant une démonstration de géométrie, en présence du prince de Condé et d'Elisabeth de Bavière, par Louis Michel Dumesnil (1680-1746).
C'est sur la base de découvertes scientifiques et techniques faites au XVIIe siècle que les savants et les philosophes du XVIIIe ont pu développer leurs recherches et leurs réflexions.
Châteaux de Versailles et Trianon.
© RMN – H. Lewandoswski.

détriment de son neveu, Philippe d'Orléans. Celui-ci, manœuvrant très habilement avec le concours du Parlement, fit casser le testament et se fit octroyer la régence.

Cette période de Régence (1715-1723) a joué un rôle important dans l'évolution des idées et des comportements : le rejet des contraintes protocolaires pesant sur la Cour, la libération affichée des mœurs, la libération de calvinistes et de jansénistes, l'adoption d'une politique étrangère non belliciste, tout cela révèle une tonalité nouvelle.

En fait, la mort de Louis XIV a fait apparaître au grand jour des pensées contestataires jusque-là réprimées ou autocensurées que Fontenelle (1657-1757) et Bayle (1647-1706) avaient déjà exposées dans leurs écrits avant 1700. Mais le courant va s'amplifier et se développer à partir de 1720. On utilise pour le désigner le mot de « Lumières » ; les « philosophes » du XVIIIe siècle voulaient que les principes dont ils se réclamaient soient une illumination pour l'esprit : la confiance dans la raison, la volonté d'utiliser celle-ci pour soumettre à la critique les dogmes religieux et les mécanismes de la monarchie ; on aboutit ainsi à la mise en cause explicite, directe, de principes considérés jusque-là comme intouchables.

Les conflits intérieurs augmentent d'intensité, favorisés par les échecs de la politique étrangère et par le discrédit qui pèse de plus en plus sur la famille royale : Louis XV et ses maîtresses, Marie-Antoinette et ses dépenses.

Deux grands problèmes agitent de manière quasi permanente le monde politique, administratif et judiciaire. Tout d'abord l'opposition du Parlement de Paris qui refuse l'enregistrement d'édits royaux (à l'origine l'enregistrement, nécessaire pour que l'édit ait force de loi, était une opération purement formelle), multiplie les remontrances et va jusqu'à prétendre être le représentant des intérêts de la nation.

Le Parlement utilise en particulier pour mener une politique de harcèlement le second problème qui est la chasse des prêtres et des fidèles suspectés de jansénisme (le débat entre les jansénistes et les jésuites concerne les

Portrait de Charles de Secondat, baron de Montesquieu (1689 1755), d'après Jacques-Antoine Dassier. Le thème essentiel de la pensée de Montesquieu, repris par les hommes de la Révolution, a été celui de la séparation des pouvoirs législatif, exécutif et judiciaire, idée absolument étrangère à l'Ancien Régime.
Châteaux de Versailles et Trianon. © RMN.

François Marie Arouet, dit Voltaire (1694-1778), tenant un exemplaire de « La Henriade », d'après Maurice Quentin de La Tour (1704-1788). Le nom de Voltaire reste attaché à son action (« Essai sur la tolérance », 1763) dans l'affaire Calas, dans laquelle il a défendu une famille protestante de Toulouse, accusée à tort d'avoir assassiné un de ses membres qui aurait voulu se convertir au catholicisme.
Châteaux de Versailles et Trianon. © RMN – G. Blot.

moyens pour un catholique de sauver son âme); le débat a fini par se cristalliser autour du refus par l'Église d'accorder l'absolution à ceux qui ne condamnent pas expressément les thèses jansénistes. Non contents de soutenir ces derniers, le Parlement et ses homologues de province attaquent les Jésuites et finissent par obtenir leur suppression en 1764.

À ce moment l'esprit philosophique a conquis de larges espaces de la vie intellectuelle dans des couches de plus en plus importantes de la bourgeoisie et même de la noblesse ;

Denis Diderot, par Louis Michel Van Loo (1707-1771). Fils d'un coutelier de Langres, Diderot exerça son génie dans de multiples domaines et anima l'« Encyclopédie ». Musée du Louvre. © RMN, R. G. Ojeda.

La politique étrangère de la France au XVIIIᵉ siècle

La continuité antérieure est rompue avec en 1756, une modification fondamentale de cette politique.

De 1715 à 1723 le Régent et l'abbé puis cardinal Dubois interrompent la politique agressive et hégémonique de Louis XIV et obtiennent un accord avec l'Angleterre et les Pays-Bas.

De 1733 à 1748, Louis XV reprend le cours d'une politique interventionniste : guerres de la succession de Pologne et de la succession d'Autriche ; dans les deux cas échecs militaires et politiques.

En 1756 Louis XV, inspiré par Choiseul, opère un renversement des alliances ; désormais l'ennemi : essentiel ne sera plus l'Autriche mais l'Angleterre à cause des intérêts coloniaux. La guerre de Sept Ans (1756-1763) est marquée par l'écrasante défaite française de Rosbach face à Frédéric II de Prusse ; la France perd presque toutes ses colonies. Le renversement des alliances a été désastreux pour la France, Louis XVI saisit l'occasion de la révolte des colonies anglaises d'Amérique (1776-1783) pour aider les insurgés qui, grâce à l'aide militaire, politique et financière française acquièrent leur indépendance par le traité de Versailles qui en outre restitue à la France certaines colonies. La réconciliation avec l'Angleterre est concrétisée en 1786 par un traité de commerce de contenu libéral (baisse des tarifs douaniers).

L'« Encyclopédie »

Cette œuvre gigantesque (35 volumes in-folio dont 11 de planches) portée à bout de bras pendant plus de vingt ans par Diderot et le chevalier de Jaucourt est à elle seule le symbole et l'expression de l'esprit des Lumières ; une foule d'auteurs y ont participé dont seulement 150 environ ont pu être identifiés à ce jour.

Son but, tel qu'il fut exposé par d'Alembert dans le « Discours préliminaire » est de présenter et de glorifier le savoir du siècle, un savoir à la fois théorique, scientifique et pratique afin de permettre au lecteur de parvenir à la liberté et au bonheur.

Son écho sera considérable, malgré les interdictions et les difficultés pratiques rencontrées pour sa publication et sa diffusion. À elle seule, l'« Encyclopédie » justifie les mots de Michelet : « Le Grand Siècle, je veux dire le XVIIIᵉ siècle. »

à cet égard l'apogée sera la représentation à Versailles, devant la Cour, du « Mariage de Figaro » en 1784.

Le roi et le gouvernement tentèrent de réagir. Ce fut d'abord le coup de force de Louis XV qui imposa en 1771 la réforme judiciaire préparé par Maupéou : suppression du Parlement de Paris remplacé par six Conseils composés de membres nommés et appointés par le roi (les parlementaires achetaient leurs charges). Dès son accession au trône (1774), Louis XVI annule cette réforme mais (démarche contradictoire), il appelle au même moment Turgot, intendant et ami des philosophes. L'objectif de celui-ci est de supprimer les obstacles au développement de la production et du commerce ; des édits royaux établissent la liberté de commerce des grains, l'abolition des corporations et celle de la corvée royale. Mais Turgot en voulant réaliser l'égalité de tous devant l'impôt se heurte à l'opposition violente du Parlement qui se fait le défenseur des privilégiés et il doit démissionner (1776).

Corporations et corvées sont rétablies. Necker reprend certains projets de Turgot mais doit démissionner (1781) après avoir publié un état des recettes et des dépenses budgétaires qui fait apparaître le poids des pensions versées aux privilégiés et l'importance du déficit.

Jean-Jacques Rousseau (1712-1778) par Maurice Quentin de La Tour (1704-1788). Rousseau, genevois de naissance, exerça par son « Contrat social » une influence très importante sur les hommes de la Révolution.
Saint-Quentin, musée Antoine-Lécuyer. © RMN, G. Blot.

Publication du traité de paix de Versailles signé entre la France et l'Angleterre, devant le palais des Tuileries, le 25 novembre 1783, par Anton Van Ysendyck (1801-1875). Ce traité marquait une revanche sur l'Angleterre.
Châteaux de Versailles et Trianon. © RMN – G. Blot.

Les années qui précèdent le 14 juillet 1789, date symbolique du début de la Révolution française, sont caractérisées par une double tendance : d'une part des tentatives de réforme avec la reprise de projets de Turgot et de Necker par Calonne (1786) et d'autre part le rejet de ces tentatives par les privilégiés avec l'Assemblée des notables (1787-1788) ; les difficultés financières mènent à la banqueroute et il faut convoquer les États Généraux qui n'ont pas été réunis depuis 1628.

Les tensions sont alors parvenues à leur paroxysme ; les privilégiés refusent toute mise en cause de leurs privilèges ; la noblesse et le clergé se réfèrent à leur place dans le système féodal ; les Parlements, tout en s'opposant à ces deux ordres et en se prétendant les représentants de la Nation (ce qu'ils ne sont pas), bloquent toute décision allant dans le sens d'une réduction des inégalités devant la loi et l'impôt. Le tiers état, particulièrement la bourgeoisie qui ne peut plus supporter les carcans féodaux, aspire à jouer pleinement son rôle.

Cette image populaire souligne tous les espoirs mis par la jeune nation dans la réunion des trois ordres sous un régime égalitaire.
Letourny, Orléans, 1791. Collection M. Sclaresky.

Les grandes figures de la Révolution
(On remarquera la jeunesse de beaucoup d'entre elles)

Brissot (1754-1793) : avocat, député de la Gironde à la Convention, d'où le nom de Girondins donné à ses partisans, adversaire de Robespierre, guillotiné.

Carnot (1752-1823) : capitaine du génie, député à la Convention, « l'Organisateur de la victoire ».

Condorcet (1743-1794) : mathématicien, député à la Convention, partisan d'une démocratie libérale, adversaire de Robespierre, guillotiné.

Danton (1759-1794) : avocat, député à la Convention, partisan puis adversaire de Robespierre ; guillotiné.

Hoche : (1768-1797) : sous-officier en 1789, général à 25 ans, sauve l'Alsace, pacifie la Vendée.

Marat (1744-1793) : médecin, député à la Convention, assassiné par Charlotte Corday.

Marceau (1769-1796) : général à 23 ans dans l'armée du Rhin, tué au combat.

Mirabeau (1749-1791) défend les revendications du tiers état dont il est député aux Etats généraux, meurt avant que son rôle de conseiller de Louis XVI ne soit connu.

Robespierre (1758-1794) : avocat, député aux États généraux et à la Convention, animateur du Comité du salut public, guillotiné.

Saint-Just (1767-1794) : député à la Convention, représentant aux armées, fidèle soutien de Robespierre ; guillotiné avec lui.

Sieyès (1748-1836) : ecclésiastique, auteur du célèbre « Qu'est-ce que le tiers état ? » paru en janvier 1789, député aux États généraux et à la Convention, spécialiste des problèmes constitutionnels.

L'œuvre de la Révolution et de l'Empire (1789-1815)

À travers des péripéties mouvementées et souvent sanglantes, la France va connaître des bouleversements considérables ; si l'on se place du point de vue des résultats il existe une grande continuité entre la Révolution, le Consulat et l'Empire ; les légistes et les préfets de Napoléon sont souvent des hommes partisans des Lumières et des anciens révolutionnaires.

L'œuvre législative de la Constituante et de la Convention a été gigantesque et le travail du Consulat consistera souvent à la codifier, avec le Code Napoléon en particulier. Par-delà les textes, l'important a été que la France devient une **nation de citoyens** alors qu'elle était auparavant un **royaume de sujets**.

« La Marseillaise », chant national de 1792.
Editions Aumond, Paris, 1896. Collection M. Sclaresky.

En effet, l'essentiel de l'œuvre de la Révolution, confirmé par l'Empire, a été la disparition du régime féodal, seigneurial, tant pour les personnes que pour les biens. La date symbolique est la **nuit du 4 août 1789** et tout un ensemble de textes doit être pris en compte. Ainsi l'article 1 de la Déclaration des Droits de l'homme et du citoyen : « Les hommes naissent libres et égaux en droits ; les distinctions sociales ne peuvent être fondées que sur l'utilité commune » et aussi l'article 2 : « Les droits naturels sont la liberté, la propriété, la sûreté, et la résistance à l'oppression » ; tout le système économique et social des XIXe et XXe siècles est exprimé ici. Le Code Napoléon explicitera et mettra en forme ces principes.

Mais il faut nuancer : l'égalité entre tous n'est pas pleinement exprimée en matière de vote et d'association. En effet de 1789 à 1815 (la Constitution de 1793 qui prévoyait le suffrage universel ne fut jamais appliquée) le droit de vote a été censitaire, c'est-à-dire réservé aux plus riches contribuables ; de même le droit d'association pour les ouvriers et la grève sont

« La Marseillaise »

L'hymne national de la France a été composé à Strasbourg en avril 1792 par Rouget de Lisle en tant que « Chant de guerre de l'armée du Rhin » ; les paroles et la musique de cet hymne ont très vite circulé à travers le pays (à Paris à la fin juillet) et ont acquis une renommée exemplaire avec l'arrivée dans la capitale au même moment des volontaires marseillais qui lui donneront leur nom. « La Marseillaise » n'est devenue hymne national qu'en novembre 1793 (avec confirmation en 1795) ; le Consulat, l'Empire et les régimes suivants verront son effacement officiel mais elle demeurera un point de ralliement pour les républicains. Il faudra attendre le 14 février 1879 pour que « La Marseillaise » acquière définitivement un statut de chant national.

La séance d'ouverture de l'assemblée des États Généraux le 5 mai 1789, par Louis Charles Auguste Couder (1789-1873).
Châteaux de Versailles et Trianon. © RMN, G. Blot.

Le contraste entre ces deux illustrations (caractère figé de la première, mouvements d'enthousiasme dans la seconde) correspond bien à l'évolution des esprits en moins de deux mois. À noter les vêtements noirs des députés du tiers état, imposés par le protocole royal.
C'est du serment prêté dans une salle de jeu de paume (sorte de tennis à main nue) que date le début de notre démocratie.

Le serment du Jeu de paume à Versailles le 20 juin 1789, par Auguste Couder (1789-1873).
Châteaux de Versailles et Trianon. © RMN, Popovitch.

Les trois événements représentés ci-dessous constituent trois étapes importantes du processus qui aboutira à la destruction de l'Ancien Régime et à la naissance de la France moderne : la prise de la Bastille, symbole de l'oppression royale, correspond à l'irruption de la force populaire sur la scène politique ; l'apostrophe de Mirabeau est l'affirmation sans équivoque de la transformation du tiers état en assemblée qui se veut représentative de la France ; quant au retour de la famille royale après l'échec de la tentative d'émigration à Varennes, il marque le glas de la tentative de monarchie constitutionnelle avec, en arrière-fond, la proclamation de la république quinze mois plus tard.

MIRABEAU ET M. DE DREUX-BREZÉ : « ALLEZ DIRE A VOTRE MAITRE QUE NOUS SOMMES ICI PAR LA VOLONTÉ DU PEUPLE ET QU'ON NE NOUS EN ARRACHERA QUE PAR LA FORCE DES BAÏONNETTES » (23 JUIN 1789).

Le retour de la famille royale à Paris le 25 juin 1791.
Eau-forte coloriée, XVIIIᵉ siècle.
Musée du Louvre, collection Rothschild. © RMN, M. Bellot.

Scène entre Mirabeau et Dreux-Brezé le 23 juin 1789.
In *Cent récits d'histoire de France*, Hachette, 1904.

La prise de la Bastille le 14 juillet 1789 – arrestation du gouverneur.
École française du XVIIIᵉ siècle.
Châteaux de Versailles et Trianon. © RMN.

considérés comme des délits (loi de 1791) ; tout ouvrier doit faire inscrire sur un livret spécial ses séjours chez chaque employeur.

En ce qui concerne les biens, un gigantesque transfert de propriété s'est produit, favorable aux paysans aisés et à la bourgeoisie citadine, avec la vente des biens nationaux, c'est-à-dire l'ensemble des terres et des immeubles du clergé et des émigrés, le tout représentant environ 1/10 de la richesse foncière nationale. L'ensemble des paysans, toutes catégories confondues a reçu la propriété libre et absolue de ses terres, gratuitement ; ceci fera de la France un cas particulier en Europe.

Le Code Napoléon (1804), qui proclama l'uniformité du droit applicable en France (avant 1789 de multiples coutumes régionales étaient appliquées), la liberté et l'égalité, le partage des successions, garantissait ce transfert dû à la vente des biens nationaux ; ce code, mis en vigueur dans les pays vivant sous la domination française (en Italie et en Allemagne) brisera les cadres de la société féodale.

C'est aussi la Révolution qui a procédé à la véritable unification de l'État.

Le Code civil, vite dénommé Code Napoléon, est une de ces « masses de granite » sur lesquelles a été établie la France moderne née de la Révolution ; il s'agit de la codification des travaux effectués par la Constituante et la Convention, codification réalisée par de grands juristes (Tronchet, Portalis, etc.) sous la responsabilité directe de Bonaparte, avant la proclamation de l'Empire ; imposé aux Etats occupés par l'armée française ou sous une influence directe il a puissamment contribué à la destruction du système féodal existant dans ces pays.

Châteaux de Malmaison et Bois-Préau. © RMN, M. André.

Unité par le droit comme on vient de le voir mais aussi par l'organisation judiciaire ; ici on constate une rupture entre la Révolution qui a édicté le principe de l'élection des juges et l'Empire qui a mis en place une structure hiérarchisée dépendant du pouvoir central.

Même contraste pour l'administration locale : au système électif Napoléon a substitué un système très fortement centralisé et autoritaire, avec l'instauration des préfets ; mais l'organisation locale, telle que nous la connaissons encore avec l'ajout récent de la région, date de la Constituante : département et conseil général, canton, commune et conseil municipal.

Les grandes dates de la Révolution

1789 : transformation des députés du tiers état (états généraux) en Assemblée nationale. Serment du Jeu de paume (2 juin). Prise de la Bastille par la population parisienne (14 juillet).

1791 : fuite du roi, arrêté à Varennes (juin). Installation de l'Assemblée législative (octobre).

1792 : installation de la Convention et proclamation de la République (21 septembre). Arrestation et procès de Louis XVI (décembre).

1793 : exécution de Louis XVI (21 janvier), victoire de la Montagne (Robespierre) sur les Girondins (Brissot).

1794 : élimination de Danton (avril) ; renversement de Robespierre, qui est exécuté avec plusieurs de ses partisans (9 thermidor, 27 juillet).

1795-1799 : régime du Directoire (à sa tête cinq directeurs).

1799 : coup d'État de Bonaparte (18 brumaire, 9 novembre) et établissement du Consulat (trois personnes).

1804 : Bonaparte empereur (Napoléon Ier).

1814 : abdication de Napoléon qui part à l'île d'Elbe et retour de la royauté avec Louis XVIII.

1815 : retour de Napoléon (les Cent-Jours) et nouvelle abdication.

Unification encore dans l'enseignement, dont le grand mérite revient à la Convention ; certes, sous la Législative, Condorcet avait mis au point un plan qui servit de base aux projets de Lakanal, ainsi qu'un autre plan proposé par Talleyrand sous la Constituante ; certains de ceux-ci furent votés mais non appliqués, par exemple l'obligation d'un enseignement primaire d'État, gratuit et obligatoire. Pour assurer l'enseignement secondaire des écoles centrales (lycées sous l'Empire) furent créées par départements. C'est la Convention qui réorganisa ou créa tout un ensemble de grandes écoles et d'établissements scientifiques : École des langues orientales, École normale supérieure, Conservatoire des arts et métiers, Archives nationales, École polytechnique, Institut, etc.

Dans cet effort d'unification de l'État, la continuité pour le fond s'oppose à une rupture dans la forme entre la Révolution et l'Empire ; celui-ci est caractérisé fondamentalement par une volonté d'autoritarisme et de despotisme ; le système parlementaire des Assemblées révolutionnaires fait place à partir du Consulat à un système où seule compte la volonté du décideur suprême qu'est l'Empereur ; les Assemblées (Tribunat, Corps législatif, Sénat) ne font que de la figuration ; le droit de vote est de moins en moins réel grâce à la procédure des listes de notabilités.

C'est la menace d'une proche banqueroute qui avait enclenché le pro-cessus de transformation politique en 1789. Pour y faire face, en novembre 1789, la Constituante décide que « tous les biens ecclésiastiques sont à la disposition de la Nation » et la mise en vente commence, qui permet de gager l'émission de billets ou *assignats* porteurs d'intérêt (5 %) pouvant servir à leurs détenteurs de mode de paiement pour l'achat de *biens nationaux*. Assez vite le volume d'assignats émis devient très important d'où leur dépréciation. Les besoins de financement pour la guerre contre les puissances coalisées, sous la Convention, conduisent à une forte inflation malgré les efforts de rigueur de Cambon. En 1797 le *tiers consolidé* de la dette publique correspond en fait à une banqueroute des deux tiers. Il faut attendre le Consulat pour le

La France en 1789 (provinces)

redressement : création d'une véritable administration financière (contrôleurs des impôts, percepteurs), de la Banque de France (1800) et, couronnant le tout la création du franc Germinal.

Le domaine religieux est également un bon exemple de la nature du processus intervenu de 1789 à 1815.

Notons d'abord que pour les protestants et les juifs la Révolution a représenté la reconnaissance de leur identité : les juifs deviennent en 1791 des citoyens français à part entière et obtiennent en 1806 et 1808 le droit de s'organiser sur le plan local et national ; les protestants reçoivent par la Déclaration des Droits la pleine égalité et une loi de 1802 autorise les consistoires.

L'Église catholique, très inféodée à la royauté et à la papauté, a subi le choc direct des événements : transfert à la Nation de son immense patrimoine foncier (1789), création d'une Église nationale avec la Constitution civile du clergé (1790), mesures répressives envers les ecclésiastiques refusant le serment à cette Constitution, développement de la déchristianisation avec le culte de la déesse Raison et de l'Etre suprême en 1793 et 1794, tentative de créer une religion parallèle avec la théophilanthropie en 1795. La situation se stabilise avec le Concordat (1801) qui restera en vigueur jusqu'en 1905 : la religion catholique est reconnue celle de « la grande majorité des Français », l'Église accepte la perte de son patrimoine, les rémunérations des prêtres devenus

La politique étrangère de 1789 à 1815

Un article de la Constitution de 1791 proclamait le principe de la renonciation à une guerre de conquête, mais les inquiétudes des souverains étrangers face aux nouveaux principes révolutionnaires, les pressions des émigrés français et la volonté de propagande extérieure de certains révolutionnaires conduisirent à la déclaration de guerre au « roi de Bohême et de Hongrie » en avril 1792.

Ainsi débutait une longue série de campagnes militaires : Valmy (1792), conquête de la rive gauche du Rhin (1795), révolte de la Vendée (1793-1796), campagnes d'Italie (1796,1800), expédition d'Egypte (1798-1799), campagnes contre l'Autriche, l'Angleterre, la Prusse, la Russie (Austerlitz 1805, Iéna 1806, Wagram 1809, campagne de Russie 1812).

De défense contre des puissances hostiles aux nouveaux principes, la guerre est vite devenue conquête avec la recherche des frontières naturelles (Rhin, Alpes) puis d'expansion et d'hégémonie pure et simple avec un très vaste empire complété par des royaumes vassaux aux mains de la famille impériale (Hollande, Espagne, Naples).

Les deux traités de Paris (1814,1815) marquèrent l'échec de cette politique, l'abandon de toutes les conquêtes et même une amputation d'une partie du territoire par rapport à 1789.

Ce tableau représente la ratification par le pape Pie VII du Concordat signé en son nom à Paris (1801) par le cardinal Consalvi (à gauche). Le texte, en vigueur jusqu'à la loi de séparation de l'Église et de l'État (1905), faisait du clergé un corps de fonctionnaires payés par l'État. Le catholicisme n'était plus, comme en 1789, religion d'État, mais seulement religion de la majorité des Français.
D'après Jean-Baptiste Joseph Wicar (1762-1834).
Châteaux de Versailles et Trianon. © RMN, G. Blot.

Napoléon sur le champ de bataille d'Eylau le 9 février 1807, par Jean-Baptiste Mauzaisse (1784-1844), d'après Antoine Gros Baron. Cette bataille, au résultat indécis, opposa en février 1807 Français et Russes au nord de la Pologne actuelle ; elle fut une véritable « boucherie ». Devant Napoléon, Murat caracolant avec son panache.
Châteaux de Versailles et Trianon. © RMN, J. Arnaudet.

Le droit de vote

Le droit de vote est un acquis de la Révolution française. Il fut d'abord censitaire (sauf pour les élections à la Convention en 1792), c'est-à-dire réservé aux possesseurs d'un certain revenu de 1789 à 1848, date à laquelle il devint universel mais réservé aux hommes. C'est en 1945 seulement que le droit de vote devient vraiment universel pour les hommes et les femmes de nationalité française et inscrits sur les listes électorales ; ainsi était concrétisé un point du programme des organisations de la Résistance. En 1974 la majorité est abaissée de 21 à 18 ans.

L'empire napoléonien en 1811

des fonctionnaires sont payées par l'État, les évêques sont nommés par l'Empereur qui sera sacré par le pape lui-même ; désireux d'exercer une pleine autorité sur le clergé comme sur tous les organes de la société, Napoléon se heurtera au pape qu'il fera déporter en France.

L'alternance des régimes (1815-1870)

En cinquante-cinq ans (autant d'années que depuis la fin de la Seconde Guerre mondiale…) la France a connu trois régimes : royauté constitutionnelle (Restauration 1815-1830, monarchie de Juillet 1830-1848), république (1848-1851) et empire (1851-1870), mais l'ensemble de la période possède bien des caractéristiques communes : industrialisation et transformations sociales, luttes pour l'établissement d'un régime démocratique, affirmation de la France comme puissance internationale.

Portraits à la Bourse, par Edgar Degas (1834-1917). L'émergence de la bourgeoisie d'affaires.
Musée d'Orsay. © RMN, H. Lewandowski.

En 1815, après la défaite de Waterloo, Napoléon et son régime s'effondrent sous la poussée des puissances coalisées (Prusse, Autriche, Angleterre, Russie) et sous l'effet de multiples défections. Son remplacement définitif (après l'intermède des Cent-Jours) par Louis XVIII peut se faire d'autant plus facilement que la Charte constitutionnelle garantit l'essentiel des acquis révolutionnaires : pas de retour à la monarchie de droit divin (même si le catholicisme redevient religion d'État), confirmation des ventes de biens nationaux, proclamation du principe de l'égalité devant la loi.

La position de Louis XVIII ne fut pas acceptée par les ultras (comte d'Artois, Polignac, Villèle) ; la Terreur blanche fut une de leurs manifestations d'autant que les élections leur donnèrent une très large majorité dans la Chambre « introuvable » ; épurations et condamnations à l'exil, à mort se multiplièrent. Mais avec les élections de 1816 un parti constitutionnel royaliste et modéré s'affirme. C'est le **début du régime parlementaire** avec l'établissement de la procédure de contrôle sur les finances publiques. Les lois sur l'armée, le système électoral, la presse sont le reflet d'une conception libérale de 1816 à 1820, en opposition aux ultras. Mais ceux-ci reviennent au pouvoir qu'ils garderont, à part une courte période en 1828, jusqu'en 1830 ; c'est alors un véritable retour en arrière avec une nouvelle loi électorale, la limitation de la liberté de la presse, le projet (rejeté) du rétablissement du droit d'aînesse, les lourdes sanctions contre les sacrilèges, etc.

L'insurrection de juillet 1830 sera un succès puisque Charles X devra fuir ; mais les émeutiers, ouvriers, artisans et étudiants qui avaient comme but la république ont vu le pouvoir leur échapper au profit des partisans des Orléans ; c'est à la fois l'émergence définitive de la bourgeoisie d'affaires et le déclin de la grande aristocratie foncière. Le nouveau régime, avec l'opposition entre résistance (ordre) et mouvement (réforme) évoluera dans un sens de plus en plus conservateur pendant que l'aspiration à la république ne cessera de croître : finalement en 1848, les Journées de février mettront un terme définitif au système monarchique. Quelques traits et quelques images peuvent résumer cette période de dix-huit ans : le « Enrichissez-vous » de Guizot en même temps que le développement des voies ferrées, de la sidérurgie, la naissance d'une classe ouvrière sans protection légale, l'élargissement du corps électoral qui demeure censitaire, l'apparition d'une pensée socialiste, la répression de la révolte des canuts à Lyon (1831), le massacre de la rue Transnonain (1834), mais aussi la loi Guizot (1833) créant l'enseignement primaire.

De 1848 à 1851, la IIe République ne constituera qu'un intermède, avec la répétition du détournement de pouvoir effectué en 1830, cette fois-ci de manière sanglante. Une double crise agricole (la dernière disette de l'histoire française) et industrielle (surproduction) combinée avec la montée du chômage et le refus du roi d'abaisser le cens électoral, la multiplication des scandales financiers tout cela aboutit en février 1848 à une révolte parisienne et des combats de rue d'où la fuite de Louis-Philippe.

Le destin de la IIe République proclamée par les émeutiers tient en quelques dates et quelques faits.

De février à mai 1848, un gouvernement provisoire (dont Lamartine, Arago, Ledru-Rollin) prend des décisions importantes :
— instauration du suffrage universel masculin pour l'élection d'une Assemblée constituante ; on passe de 200 000 électeurs à plus de 9 millions ;

L'abolition de l'esclavage dans les colonies françaises en 1848, par François Biard (1789-1882).
Dès 1789, des voix s'étaient élevées, telle celle de l'abbé Grégoire (un des animateurs du serment du Jeu de paume) pour demander l'abolition de l'esclavage mais la virulente opposition des propriétaires de plantations aux Antilles et des entrepreneurs liés au commerce avec les îles (sucre) bloqua la situation et il fallut donc attendre 1848 pour que le principe de l'égalité des droits des hommes et des femmes soit aussi appliqué dans les colonies (sans aller jusqu'au droit de vote). Châteaux de Versailles et Trianon. © RMN.

— abolition de l'esclavage dans les colonies ;
— suppression des lois restreignant les libertés de la presse et de réunion ;
— fixation à 10 heures de la journée de travail (elle atteignait parfois 14 heures) ;
— création d'ateliers nationaux pour employer les chômeurs.

C'est ce dernier point que mit en cause l'***Assemblée constituante*** en le supprimant d'où la révolte ouvrière de juin très sévèrement réprimée ; le parti républicain était ainsi divisé en partisans et adversaires de réformes sociales. Ceci allait permettre au neveu de Napoléon Ier, Louis-Napoléon Bonaparte, de se faire élire président de la République en décembre 1848 ; l'***Assemblée législative***, élue à partir d'un suffrage redevenu restreint, la majorité très modérée, favorable au retour de la monarchie se trouva en conflit avec le Président qui, constitutionnellement, ne pouvait briguer un nouveau mandat en 1852, d'où le coup d'État du

Napoléon III visitant le chantier du nouveau Louvre, par Nicolas Gosse (1787-1878).
Musée du Louvre. © RMN, G. Blot.

Coulée de fonte au Creusot vers 1864, par François Bonhomme. L'industrialisation de la France au XIXe siècle s'est faite sur la base du charbon et de l'acier. Écomusée de la communauté Le Creusot-Montceau-les-Mines.

2 décembre 1851, confirmé par un plébiscite (7,35 millions de oui contre 640 000 non) après une sévère répression et le rétablissement du suffrage universel. La proclamation de l'Empire l'année suivante ne fut qu'une formalité avec un nouveau plébiscite (7,84 millions de oui et 253 000 non).

Le *Second Empire* (1852-1870) ne constitue pas une rupture avec la période précédente dans la mesure où le problème de l'aspiration à un régime républicain et démocratique demeure et où le développement économique reprend avec une grande intensité.

Très grands travaux d'urbanisme en particulier à Paris, édification d'un important réseau de voies ferrées (18 000 kilomètres en 1870), création de grands organismes bancaires (Crédit Lyonnais, Société générale), âge d'or de la Bourse, croissance de la sidérurgie ont été les grands axes de la vie économique du Second Empire. L'expression la plus réussie de cette expansion a été l'organisation à Paris de deux Expositions universelles en 1865 et 1867.

Cette activité économique a entraîné des modifications dont l'effet ne se fera sentir pleinement qu'ultérieurement dans la structure de la société française. La France est restée un pays profondément rural mais les besoins du bâtiment et de l'industrie ont drainé vers les villes une population qui va grossir la classe ouvrière (au sens moderne du mot) naissante ; un mouvement ouvrier (Tolain, Proudhon) favorable aux idées de l'Association internationale des travailleurs, où milite Karl Marx, se forme d'autant que la grève cesse (1864) d'être un délit sauf pour les fonctionnaires.

Sur le plan politique, trois phases peuvent être distinguées ; de 1852 à 1859, c'est l'empire autoritaire avec une opposition traquée et

La politique étrangère de 1815 à 1870

Après la chute de Napoléon et la conclusion entre les souverains européens de la Sainte Alliance contre les éventuelles révoltes populaires, la préoccupation du gouvernement français a été, continuant l'action de Talleyrand (1754-1838) au Congrès de Vienne, de se réinsérer dans le cercle des grandes puissances d'où une intervention militaire en Espagne (1823) contre les libéraux et la conquête de l'Algérie à partir de 1830. Louis-Philippe, d'abord allié à l'Angleterre pour l'indépendance de la Belgique (1832), renonça à l'idée des frontières naturelles, échoua dans son intervention en faveur du sultan ottoman (1840) d'où une tension avec l'Angleterre.

À partir de 1848 le grand problème est celui des nationalités : Italie, Allemagne cherchent leur unité. Napoléon III soutiendra cette idée d'où l'intervention militaire en Italie (Magenta et Solférino en 1859) et une position favorable à la Prusse contre l'Autriche. Malgré le slogan « L'empire c'est la paix », la France interviendra également contre la Russie en Crimée (1854) et au Mexique (1862-1866). C'est la montée en puissance de la Prusse qui provoquera la chute de Napoléon III (1870).

Détail de la bataille d'Alma, guerre de Crimée, par Horace Vernet (1789-1863).
Ajaccio, musée Fesch. © RMN, G. Blot.

muselée : pas de liberté de la presse, système de la candidature officielle, surveillance étroite de l'enseignement ; trois puis cinq députés républicains dont Jules Favre parviennent à être élus. De 1860 à 1867, le régime de l'empire dit libéral est marqué par un mélange incohérent de despotisme et de quelques nouvelles libertés parlementaires ; Paris élit huit députés républicains dont Thiers ; les oppositions royaliste et républicaine représentent 2 millions de voix en 1863.

Nouvelle étape à partir de 1867 : rétablissement de la liberté de réunion (avec autorisation préalable), droit pour les députés d'interpeller le gouvernement, desserrement des contraintes sur la presse. Ceci produisit une division parmi les républicains entre « irréconciliables » (Rochefort, Gambetta) et « ralliés » (Emile Ollivier) ; les élections de 1869 mirent en minorité les bonapartistes intransigeants (« mamelouks ») et firent apparaître un « tiers parti ».

Napoléon III fit de nouvelles concessions (avril 1870) qui aboutissent à un régime parlementaire avec responsabilité des ministres devant les Chambres ; il reprenait l'initiative politique et apparemment avec le plébiscite d'avril 1870 le régime disposait d'une large adhésion : 7,5 millions de oui contre 1,57 million de non.

Et pourtant, cinq mois après, c'est l'effondrement. Le Second Empire a disparu à cause de sa politique étrangère aventureuse, qui fit intervenir la France dans deux guerres : contre la Russie (1854-1856), contre l'Autriche (1859) ; de plus Napoléon III intervient dans toutes les parties du monde : en Algérie (Kabylie et Sud algérien), au Sénégal, en Chine et Indochine, en Syrie, au Mexique. Mais surtout Napoléon n'a pas vu que la puissance allemande montante était la Prusse, dont il favorisa la politique unificatrice par l'hostilité à l'Autriche. Lorsque sur un malentendu diplomatique aiguisé par l'habileté de Bismarck et devenu un piège par aveuglement des responsables français, la France déclara la guerre à la Prusse avec présomption et sans préparations le 19 juillet 1870,

l'issue fut rapide ; le 2 septembre, à Sedan, Napoléon III capitulait à la tête d'une partie de l'armée ; ce fut le plus grand désastre militaire et politique de l'histoire française avec la défaite de 1940. Le 4 septembre la déchéance de l'Empire était acquise et un **Gouvernement provisoire** constitué à Paris (Gambetta, J. Favre).

La victoire de la République (1870-1914)

La capitulation de Sedan suivie de celle de Bazaine à Metz ne mit pas un terme à la guerre ; bien au contraire le Gouvernement provisoire organisa une véritable résistance nationale. Mais la chute de Paris après un siège marquera la fin de la guerre (fin janvier 1871) ; le traité de Francfort (mai) entraîna la cession de l'Alsace-Lorraine au nouvel Empire allemand proclamé à Versailles.

Entre-temps, une **Assemblée nationale** avait été élue (février), très marquée à droite, en majorité royaliste, qui s'installe à Versailles jusqu'en 1880.

Les républicains eurent à mener de nombreuses et intenses batailles politiques, dans le cadre d'une évolution générale de la droite vers la gauche. La population parisienne, hostile à l'armistice et à l'Assemblée, en situation précaire (la suspension de paiement des loyers et

Proclamation de la République, sur la place de l'Hôtel-de-Ville. Au premier plan, Gambetta.
Image populaire d'époque. Collection M. Sclaresky.

des dettes cesse avec la fin de la guerre) se révolte. Thiers et la majorité « versaillaise » répriment très sévèrement (plus de 20 000 exécutions) l'insurrection de la *Commune* (mars-mai 1871) grâce au rapatriement de troupes faites prisonnières à Sedan et Metz ; en 1880 seulement une amnistie interviendra.

De 1871 à 1879 le combat politique est celui pour la fondation de la République que jalonnent quelques dates significatives : échec de la tentative de restauration monarchiste (1873), victoire des républicains aux élections municipales (1874), vote de l'amendement Wallon et fixation des règles de fonctionnement du régime républicain parlementaire (lois constitutionnelles de 1875) et enfin élection d'un républicain (Jules Grévy) à la tête de l'État (1879).

Cette victoire allait donner à la vie politique une tournure nouvelle avec la division du camp républicain en deux tendances : les « opportunistes » (Gambetta, Jules Ferry) et les « radicaux » (Clemenceau).

L'opposition à la république n'avait pas du reste disparu, comme le montra le *boulangisme* (1887-1889), rassemblement hétéroclite autour d'un général d'éléments de tous bords, qui échoua faute de volonté directrice. La république, par ailleurs, se renforça du ralliement d'une partie des forces conservatrices catholiques, à l'incitation du pape Léon XIII (1892).

Deux grandes affaires montrèrent que le rapport de forces gauche droite était fragile ; en 1892 et 1893, les soubresauts de l'affaire de Panama (corruption des milieux politiques) provoquèrent un rejet des institutions, allant jusqu'à la multiplication d'attentats y compris à la Chambre des députés en 1893 et contre le président Carnot, assassiné en 1894.

Beaucoup plus importante en profondeur car elle provoqua une césure dans le pays fut l'*affaire Dreyfus* (1898-1899). L'entêtement de l'état-major à dissimuler la fausseté des soi-disant preuves créées par lui pour justifier la condamnation d'un officier innocent (condamné uniquement parce que d'origine israélite) aboutit à une véritable crise politique et morale. D'un côté la majeure partie des officiers et du clergé, la droite royaliste, les nationalistes et de l'autre la plupart des intellectuels et la gauche.

La volonté de restreindre la place de l'Église catholique dans la vie politique conduisit par deux fois à une bataille politique. Ce fut d'abord en 1880 et 1881 le débat passionné à propos de l'enseignement : dissolution de la Compagnie de Jésus, interdiction d'enseigner aux congrégations non autorisées, instauration de l'enseignement primaire laïque. La question rebondit à un niveau passionnel encore plus

Général Boulanger (14 juillet 1886). Tableau d'Edouard Debat-Ponsan.
Le général Boulanger à la revue du 14 juillet 1886, lorsqu'il était ministre de la Guerre. Le personnage, sans perspective politique réelle, jouit d'une popularité inouïe pendant quelques années ; les adversaires de la république voulurent l'utiliser mais il manqua de volonté au moment opportun (janvier 1889) ; menacé d'arrestation, il s'enfuit à Bruxelles (avril) et se suicida sur la tombe de sa maîtresse...
Collection M. Sclaresky.

Épisode de la guerre de 1870. Siège de Paris en 1870-1871. Surprise près d'un pont défendu par les mobiles au petit jour, par Gérard Detaille (1848-1912). Châteaux de Versailles et Trianon. © RMN, G. Blot.

Une rue de Paris en mai 1871 ou La Commune, par Maximilien Luce (1858-1941). Musée d'Orsay. © RMN, H. Lewandowski. ADAGP.

Thiers proclamé «libérateur du territoire» lors de la séance de l'Assemblée nationale tenue à Versailles le 16 juin 1877.
D'après Jules Garnier. Châteaux de Versailles et Trianon. © RMN.

La grève du Creusot, tableau de Jules Adler, 1899. Écomusée de la communauté Le Creusot-Montceau-les-Mines.

Le jeu de la vérité : l'affaire Dreyfus. Vers 1898. Paris, musée du Judaïsme. © RMN, J. G Berizzi

élevé avec la loi de séparation de l'Église et de l'État (1905) : le Concordat de 1801 était abrogé et l'État devenait neutre.

En revanche, sur deux autres questions la division de la gauche aboutit en fait à un arbitrage par la droite : la création d'un impôt sur le revenu fut repoussé tandis que l'instauration d'un service militaire de trois ans était adoptée (1913).

Déjà perceptible dans la période antérieure, l'écart entre le développement économique de la France et celui des deux grands concurrents,

Le bouillonnement intellectuel en France

Le XIXe siècle a été une période de grande activité intellectuelle.

Exaltation du progrès scientifique : Fresnel (1788-1827) et l'optique, Sadi Carnot (1796-1832) et la puissance motrice, Ampère (1775-1836) et l'électromagnétisme, Gay-Lussac (1778-1850) et la chimie, Niepce (1765-1833) et Daguerre pour la photographie. Le langage mathématique avec Cauchy (1789-1857) et Galois (1811-1832) est de plus en plus utilisé dans les sciences. Claude Bernard (1813-1878) pose les principes de la « méthode expérimentale » que Pasteur (1822-1895) met en pratique. Renouvellement dans les lettres (romantisme,

naturalisme, symbolisme) avec Chateaubriand (1768-1848), Lamartine (1790-1869), Hugo (1802-1885), Stendhal (1783-1842), Balzac (1799-1850), George Sand (1804-1876), Flaubert (1821-1880), Baudelaire (1821-1867), Zola (1840-1902), Maupassant (1850-1893), Verlaine (1844-1896), Anatole France (1844-1924).

Renouvellement également dans les arts : en peinture avec Delacroix (1798-1863), Courbet (1819-1877), Manet (1832-1883), Monet (1840-1926), Renoir (1841-1919), en sculpture avec Rodin (1840-1917), Camille Claudel (1864-1943).

Apparitions des doctrines socialistes avec Saint-Simon (1760-1825), Fourier (1772-1837).

Allemagne et Grande-Bretagne s'est accentué, au point que certains observateurs étrangers parlaient déjà de « décadence française » ; sur le plan démographique, la France a connu dès le Second Empire un ralentissement de son accroissement par baisse du taux de natalité (en 1907 et 1911 plus de décès que de naissances). D'où un recours à l'immigration : en 1913 la France compte 1 million d'étrangers et 250 000 naturalisés ; c'est grâce à eux que le ralentissement n'est pas devenu chute.

À partir de 1884 (loi Waldeck-Rousseau) le droit d'association pour les syndicats est acquis ; le livret d'ouvrier est supprimé en 1890 ; le repos hebdomadaire devient obligatoire en 1906 ; la durée légale du travail journalier demeure de 12 heures (loi de 1883) : 10 heures pour les ateliers avec femmes et enfants (1900) ; les retraites ouvrières sont instituées en 1910. Le tout ne se fait pas sans violence : massacre de grévistes à

Georges Clemenceau prononçant un discours pendant une réunion électorale tenue au cirque Fernando à Montmartre en 1883. Par Jean-François Raffaelli (1850-1924).
À ce moment, il est le chef de l'extrême gauche radicale. Orateur incisif, il fut surnommé « le tombeur des ministères » avant d'accéder en 1906 au gouvernement ; chef de celui-ci durant la Première Guerre mondiale (« Je fais la guerre »).
Châteaux de Versailles et Trianon. © RMN, G. Blot.

Les grandes figures de la IIIe République

Aristide Briand (1862-1932) : avocat, député, chef du gouvernement ou ministre à maintes reprises, spécialiste de politique étrangère après 1918 (« le pèlerin de la paix ») et artisan d'un rapprochement avec l'Allemagne.

Joseph Caillaux (1863-1944) : inspecteur des finances, député, sénateur, chef du gouvernement, ministre ; carrière politique agitée avec l'assassinat par sa femme en 1914 du directeur du « Figaro » et son procès en 1920 pour des négociations clandestines avec l'Autriche en 1918.

Georges Clemenceau (1841-1929) : médecin, radical, député, sénateur, chef du gouvernement de 1906 à 1909 et de 1917 à 1920 (« le Père la Victoire »).

Jules Ferry (1832-1893) : député, sénateur, au pouvoir de 1879 à 1885, auteur des lois sur l'enseignement primaire, gratuit, obligatoire et laïque et du décret de dissolution de l'ordre des Jésuites.

Léon Gambetta (1838-1882) : député, un des chefs de l'opposition républicaine sous l'empire et un des animateurs de la lutte armée contre les envahisseurs prussiens (1870-1871).

Edouard Herriot (1872-1957) : enseignant, radical, chef du gouvernement ou ministre à maintes reprises après 1918, créateur de l'expression « Français moyen ».

Jean Jaurès (1859-1914) : enseignant, socialiste, fondateur de « L'Humanité », assassiné le 31 juillet 1914.

Jules Méline (1838-1925) : député, chef du gouvernement, auteur des lois protectionnistes sur l'agriculture (1891).

Raymond Poincaré (1860-1934) : avocat, député, sénateur, président de la République (1913-1920) auparavant et ensuite très souvent ministre et chef du gouvernement.

Paul Reynaud (1878-1966) : avocat, député, ministre à maintes reprises, chef du gouvernement en 1940.

Pierre Waldeck-Rousseau (1846-1904) : avocat, député, détenteur du record de longévité ministérielle, promoteur des lois sur la liberté syndicale, l'organisation municipale et la liberté d'association.

Les présidents de la République de 1871 à 1913 : Adolphe Thiers, Mac Mahon, Jules Grévy, Sadi Carnot, Casimir Périer, Félix Faure, Émile Loubet, Armand Fallières.
Collection M. Sclaresky.

La France conclut en 1893 une alliance avec la Russie, qui pouvait ainsi se procurer les capitaux (les « fonds russes ») nécessaires à son industrialisation ; elle se rapproche de l'Italie en 1896 et établit avec la Grande-Bretagne l'Entente cordiale en 1904. La conclusion de celle-ci avait été rendue possible par le règlement d'un contentieux colonial : la rivalité franco-britannique en Egypte qui avait failli dégénérer en conflit ouvert avec l'affaire de Fachoda en 1898.

Après 1870, la France est en effet devenue une grande puissance coloniale s'étendant sur l'Afrique et l'Asie : protectorats sur la Tunisie (1881) et l'Annam (1883), conquête du Tonkin et du Congo (1885), du Dahomey (1893), de Madagascar (1895), du Tchad (1901), protectorat sur le Maroc (1912).

Aristide Briand (1862-1932) : député à partir de 1902, maintes fois ministre ou chef du gouvernement, orateur très réputé (« un violoncelle »), Briand se consacra après 1918 au problème des relations franco-allemandes et de la Société des Nations (ancêtre de l'ONU actuelle).
Collection M. Sclaresky.

Fourmies par la troupe (1891), grève des cheminots brisée par la force par Aristide Briand (1910) sans oublier la révolte des vignerons du Languedoc avec le refus d'intervention des soldats (1907).

Internationalement la France est encore une puissance mondiale dont la politique étrangère correspond à deux axes (rapports avec l'Allemagne, expansion coloniale) nécessairement reliés entre eux.

Le problème de l'Alsace-Lorraine demeure toujours présent. La France recherche donc des alliances dans la perspective d'un conflit avec l'Allemagne d'autant que certaines situations peuvent le provoquer : en 1886 avec le renforcement des idées nationalistes (Boulanger), en 1905 avec la rivalité franco-allemande au Maroc.

« Nos soldats aux colonies »
par Constantin Font (1890-).

Quelques dates de l'histoire politique

Juillet 1830 : chute de Charles X, roi de France ; Louis-Philippe Ier, roi des Français.

Février 1848 : proclamation de la République.

Juin : répression des manifestations populaires.

Décembre 1851 : coup d'État de Louis-Napoléon, président de la République.

Décembre 1852 : sacre de Napoléon III.

Séptembre 1870 : proclamation de la déchéance de l'empereur.

Mars-mai 1871 : guerre civile (la Commune de Paris).

1875 : Institution de la République par le biais de l'amendement Wallon.

1905 : Loi de séparation de l'Église et de l'État.

1919 : Traité de Versailles.

1936 : Élections législatives donnant la majorité au Front populaire (socialistes, radicaux et communistes).

18 juin 1940 : appel du général de Gaulle à la résistance depuis Londres.

10 juillet : octroi au maréchal Pétain par le Parlement, à Vichy, des pleins pouvoirs.

DE LA PREMIÈRE À LA SECONDE GUERRE MONDIALE (1914-1945)

Durant cette période de trente et un ans, la France a connu dix ans d'état de guerre avec, entre les deux conflits mondiaux, la grande crise économique de 1929.

Les conséquences de la Première Guerre mondiale

Si la France a gagné la guerre, elle se trouve en 1919 dans une situation tragique. En effet les conséquences de cette Première Guerre mondiale sont extrêmement lourdes : certes reconquête de l'Alsace-Lorraine mais au prix de 1,4 million de morts (essentiellement des jeunes),

900 000 mutilés, 600 000 veuves, 700 000 orphelins… sans compter les dégâts matériels. Cette véritable hémorragie humaine va accentuer le déclin démographique.

Souvenirs et effets de cette guerre vont marquer la politique intérieure et extérieure de la France ; de plus la grande crise de 1929 aux États-Unis atteindra la France en 1931.

La guerre a modifié en profondeur la société française ; ainsi les femmes ont occupé de nombreux emplois jusque-là réservés aux hommes et ont été intégrées au processus de production ; elles sont devenues majoritaires (1 million de veuves de guerre). La Chambre des députés vote en 1919 le principe de l'extension du droit de vote aux femmes que le Sénat rejette. Par ailleurs la constitution d'un parti communiste au congrès de Tours (1920) par scission du parti socialiste crée une situation nouvelle.

Dans un premier temps, le gouvernement pense pouvoir résoudre une grande part des difficultés économiques et surtout le problème de la reconstruction en imposant à l'Allemagne le paiement de réparations : « L'Allemagne paiera » ; la France ira jusqu'à occuper la Ruhr (1923) pour gager celles-ci. Mais au fil des ans, cet espoir s'évanouira, jusqu'aux accords de Lausanne (1932).

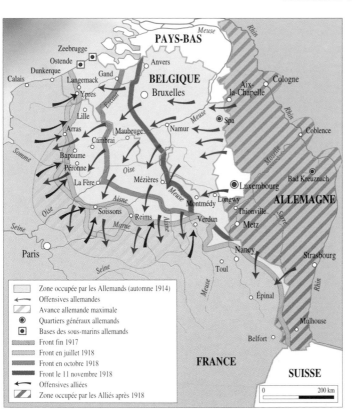

Zone occupée par les Allemands (automne 1914)
Offensives allemandes
Avance allemande maximale
Quartiers généraux allemands
Bases des sous-marins allemands
Front fin 1917
Front en juillet 1918
Front en octobre 1918
Front le 11 novembre 1918
Offensives alliées
Zone occupée par les Alliés après 1918

L'évolution du front de la Première Guerre mondiale de 1914 à 1918

l'Humanité

JOURNAL SOCIALISTE — Directeur Politique : JEAN JAURÈS

JAURÈS ASSASSINÉ

L'assassinat de Jaurès provoque d'abord au Conseil des ministres « un prodigieux silence », puis ce commentaire : « Alors quoi ! la guerre étrangère et la guerre civile, tout alors ? » La riposte immédiate des socialistes devait lever toute équivoque : « Ils ont assassiné Jaurès, nous n'assassinons pas la France. » Le 4 août, les funérailles de Jaurès — les « obsèques de la paix » — devaient réunir les personnalités politiques les plus diverses. Ce fut vraiment la première manifestation de l' « Union sacrée », à quelques jours de la première guerre mondiale.

« *Jaurès assassiné* » à la une de « *L'Humanité* » du samedi 1er août 1914
Jean Jaurès, orateur prestigieux, homme d'une immense culture, était agrégé de philosophie; élu député en 1885, il évoluera du centre gauche modéré vers le parti socialiste; il contribuera à entraîner celui-ci vers la défense de Dreyfus et s'opposa à la politique de « revanche » sur l'Allemagne incarnée par Poincaré; son assassin, excité par la campagne virulente menée par la droite contre Jaurès (« agent allemand »), sera libéré après la fin de la guerre.
Collection M. Sclaresky.

Le franc, stable dans sa référence à l'or depuis 1801, doit être dévalué par Poincaré en 1928.

La crise économique survient à partir de 1931 sur un. pays qui n'a pas modernisé son économie; la France qui demeure un pays encore profondément rural tente alors de mener une politique à la fois protectionniste et déflationniste : réduction des dépenses publiques, hausse des impôts. En 1936, la France compte plus de 1 million de chômeurs.

La politique intérieure

La politique intérieure française de 1919 à 1939 a été assez instable avec quelques moments forts. Les élections de 1919 donnent naissance à une Chambre des députés qualifiée de « bleu horizon » (1920-1924) en raison du nombre élevé d'anciens combattants élus et de son orientation nationaliste. C'est elle qui ratifie le traité de Versailles, assiste

La Grande Guerre : bataille de l'Aisne, dans la tranchée. Collection M. Sclaresky.

Défilé de la Victoire – 14 juillet 1919 – Les drapeaux de l'armée d'Afrique. Collection M. Sclaresky.

au remplacement de Clemenceau, démissionnaire, par Millerand comme chef du gouvernement; celui-ci étant élu président de la République, plusieurs chefs du gouvernement se succèdent; le plus marquant sera Raymond Poincaré de 1922 à 1924.

Inversion de tendance avec les élections de 1924 qui donnent la victoire au Cartel des gauches (1924-1927). De 1924 à juillet 1926, une partie du programme (de gauche) du Cartel est appliqué : renforcement de la laïcité avec la nouvelle rupture avec le Vatican (les relations sont interrompues en 1904 et ont repris en 1920), volonté d'abroger le Concordat en Alsace-Lorraine (la région, alors province allemande n'avait pas été concernée par la loi de 1905) d'où une agitation dans les départements redevenus français. Mais la fuite des capitaux et l'effondrement du franc obligent le gouvernement Herriot à démissionner pour céder la place à Raymond Poincaré. À partir de ce moment et jusqu'aux élections de 1928, la Chambre élue sur un programme de gauche soutient une politique orientée à droite.

De 1928 à 1932 la nouvelle Chambre à majorité de droite poursuit la même politique en faveur des investissements et de la stabilité du nouveau franc Poincaré; la production industrielle de l'année 1929 sera la plus élevée depuis 1918. Une mesure importante est prise dans le cadre de la lutte contre le déclin démographique; depuis une loi de 1893 est français tout enfant né en France d'un étranger ou d'une étrangère; à partir d'une loi de 1927 les conditions de naturalisation sont facilitées par la diminution de la durée minimale de séjour en France (3 ans au lieu de 10).

Avec la Chambre élue en 1932 et qui correspond à une majorité de gauche, commence une période d'intense activité politique et d'agitation; les « affaires », en particulier l'affaire Stavisky, provoquent des manifestations dans la rue d'anciens combattants regroupés dans des associations de droite. Le 6 février 1934 l'Action française (royaliste), les Came-

lots du roi (royalistes) tentent de prendre d'assaut le Palais-Bourbon mais les autres participants à la manifestation, les Croix de feu (anciens combattants du colonel de La Rocque) refusent de s'y associer. Le lendemain, nouvelle manifestation de l'extrême droite; le 9 février contre-manifestation communiste suivie d'une grève générale le 12 février.

Face au gouvernement Laval (juin 1935-janvier 1936), les socialistes et les communistes mettent au point un programme de ras-

Portrait de Raymond Poincaré (1860-1934),
par Marcel André Baschet (1862-1941).
Cet avocat messin, devenu très jeune (pour l'époque) député (à 27 ans) et ministre (à 35 ans), est élu président de la République en 1913; partisan d'une revanche sur l'Allemagne, il reçoit le surnom de « Poincaré la guerre »; sa carrière politique continuera après 1918 : chef du gouvernement de 1926 à 1929; il donnera son nom au nouveau franc (« Poincaré ») défini par une nouvelle parité avec l'or, qui concrétisa le recul de la France sur la scène internationale après la saignée démographique et économique de la Grande Guerre.

Châteaux de Versailles et Trianon. © RMN, G. Blot.

*Manifestation du Front populaire, place de la Nation, le 14 juillet 1936 :
Léon Blum, Maurice Thorez, Salengro, Violette, Pierre Cot.* © Keystone.

semblement populaire (12 janvier 1936). Les élections d'avril-mai 1936 marqueront la victoire du Front populaire (communistes, socialistes et radicaux). Cette Chambre élue sur un programme de gauche évoluera fortement vers la droite jusqu'à voter les pleins pouvoirs à Pétain en 1940.

Dans un premier temps, c'est un programme social et politique de gauche qui est appliqué, grâce à une intense pression par une grève générale et l'occupation des lieux de travail, le tout dans une atmosphère de liesse : création des congés payés, semaine de 40 heures, dissolution des ligues d'extrême droite, hausse des salaires, nationalisation de secteurs clés (SNCF, Banque de France etc.). Mais dès la fin de 1936, la tendance s'infléchit : Léon Blum (1872-1950), socialiste, chef du gouvernement, annonce une « pause sociale » ; le parti communiste, qui a refusé de participer au gouvernement, retire son soutien. En 1938 Blum démissionne et cède la place au gouvernement Daladier (radical) assisté de Paul Reynaud

(droite) aux Finances ; la rupture officielle du Front populaire a lieu en octobre 1938 au moment des accords de Munich par lesquels la France par Daladier et la Grande-Bretagne par Chamberlain livrent la Tchécoslovaquie à l'Allemagne : socialistes et radicaux approuvent ces accords, les communistes les rejettent.

La politique étrangère

En matière de politique étrangère, on peut distinguer dans cette période d'entre-deux-guerres deux phases distinctes. De 1919 à 1924, c'est la fermeté à l'égard de l'Allemagne ; la France n'a pas obtenu par le traité de Versailles ce que certains de ses dirigeants (Clemenceau, Foch) réclamaient en matière de garantie à savoir de forts engagements des alliés à l'égard de la rive gauche du Rhin ; ses efforts pour obtenir le paiement des réparations prévues n'aboutissent pas comme on l'a vu malgré de nombreuses conférences internationales et l'occupation de la Ruhr par des troupes françaises en 1923.

De 1924 à 1939, c'est toute une série de concessions faites par la France. Si le gouvernement Herriot reconnaît en 1924 l'existence de l'Union soviétique, la diplomatie française n'exploite pas les possibilités de ce nouveau contrepoids. En 1924 la France effectue un retrait inconditionnel de la Ruhr, abandonnant ainsi les partisans francophiles qu'elle avait en Rhénanie ; elle renonce aux réparations allemandes (plan Young en 1929) tout en conservant ses dettes envers les Etats-Unis. Puis survient toute une série de concessions encore plus lourdes de conséquences : acceptation de l'accord naval anglo-allemand de 1935 permettant à l'Allemagne devenue nazie de reconstituer une flotte de guerre, acceptation du refus anglais d'intervenir lorsque Hitler remilitarise la Rhénanie en 1936. Le mot de **passivité** est celui qui définit le mieux la diplomatie française face à la campagne du plébiscite en Sarre pour son rattachement à l'Allemagne (1935), face à l'annexion par l'Allemagne de l'Autriche, de la Bohême-Moravie ou encore face à l'intervention de l'Allemagne et de l'Italie dans la guerre civile espagnole. La liste des renonciations et des concessions est longue et la politique de la

« Petite Entente », c'est-à-dire des alliances avec les pays d'Europe centrale et orientale, se révélera n'être lorsque la crise ultime, la guerre avec l'Allemagne, éclatera qu'illusion.

Philippe Pétain (1856-1951) joua un rôle important durant la Première Guerre Mondiale en dirigeant la résistance de Verdun (1916). Investi des pleins pouvoirs à Vichy (juillet 1940), il s'attaque aux principes républicains et se prononce pour une politique de collaboration avec Hitler (entrevue de Montoire, octobre 1940). Jugé et condamné à mort à la Libération, il finit ses jours en prison à l'île d'Yeu.
Collection M. Sclaresky.

État français

Le 10 juillet 1940, la Chambre des députés et le Sénat, réunis à Vichy, accordent les pleins pouvoirs à Philippe Pétain (1856-1951), devenu président du Conseil des ministres depuis le 16 juin à la suite de la démission de Paul Reynaud : Pétain devient « chef de l'État français ». Le gouvernement (principaux membres : Laval, exécuté en 1945, Darlan, assassiné à Alger en 1942, Gabolde, mort réfugié à Madrid en 1977) s'engage très vite dans une politique de « collaboration » avec l'occupant nazi, prend dès octobre 1940 des mesures de discrimination envers les citoyens français d'origine juive, orga-

nise leur arrestation (rafle du Vel'd'Hiv'en 1942) et facilite leur déportation, ainsi que celle des étrangers d'origine juive vers les camps d'extermination. De même Vichy s'associe par son administration et sa police à la lutte menée par l'occupant contre les résistants, en particulier les communistes (création des sections spéciales), fait de la Milice (créée en 1943) son fer de lance idéologique et répressif contre la Résistance dans son ensemble (son chef, Darnand, sera fusillé à la Libération). Dans leur retraite en 1945 les armées allemandes transfèrent ce qui reste alors du gouvernement de Vichy à Sigmaringen.

Points de repère

1914-1918 : batailles de la Marne (1914), de Verdun (1916), du Chemin des Dames (1917).
1919 : fixation à 8 heures de la durée journalière du travail.
1936 : instauration des congés payés, fixation à 40 heures de la durée hebdomadaire du travail.
1938 : loi accordant aux femmes la capacité juridique (possibilité d'agir sans autorisation du mari). Abrogation de la loi sur les 40 heures et rétablissement des 48 heures.
1940 : mai : invasion allemande de la Belgique et du Luxembourg. Percée du front français dans les Ardennes. Juin : rupture des fronts de l'Aisne et de la Somme. Retraite générale des forces françaises. Arrêt des hostilités.
1941 : remontée de Leclerc vers l'Afrique du Nord depuis le Tchad.
1942 : violents combats en Syrie entre forces de Vichy et forces gaullistes qui l'emportent avec l'aide des forces britanniques. Participation de forces gaullistes à la bataille de Bir-Hakeim en Libye contre Rommel.
1943 : participation de l'armée du futur maréchal Juin à la campagne d'Italie; libération de la Corse par les troupes françaises libres.
1944 : débarquement anglo-américain en Normandie; marche de la division Leclerc sur Paris qui est libéré (25 août) après l'insurrection des forces de la Résistance (colonel Rol-Tanguy). Débarquement en Provence de la 1re armée française du futur maréchal de Lattre.
1945 (8 mai) : capitulation allemande.

Comment expliquer une telle série d'erreurs et de compromissions qui conduiront aux accords de Munich (septembre 1938), abandonnant la Tchécoslovaquie à l'Allemagne ? Plusieurs facteurs peuvent être évoqués : les souvenirs des massacres de la Grande Guerre, l'obsession de ne rien faire sans l'appui britannique, la crainte d'un développement des revendications sociales (« Plutôt Hitler que le Front populaire »), la volonté délibérée de ne pas utiliser la carte soviétique.

Le 3 août 1939, la France et la Grande-Bretagne déclarent la guerre à l'Allemagne qui a envahi la Pologne, leur alliée. Après une période d'observation mutuelle (la « drôle de guerre ») un désastre militaire sans précédent dans l'histoire française se produit : en un mois l'armée s'effondre : 123 000 morts, 1 843 000 prisonniers; un armistice est signé à Rethondes le 22 juin 1940, coupant le territoire en deux (zone occupée et zone dite libre).

Deux conceptions tout à fait opposées s'affrontent alors. D'un côté le maréchal Pétain auquel le Parlement a remis le 10 juillet tous les pouvoirs et de l'autre une très petite minorité qui répond à l'appel lancé de Londres le 18 juin par le général de Gaulle. Deux pouvoirs se constituent ainsi : « L'État français » à Vichy entreprend avec Pétain, Laval et des adversaires déjà anciens de la République, une politique de collaboration avec l'Allemagne nazie dont l'entrevue de Pétain avec Hitler à Montoire en octobre 1940 donne le signal. En face la « France libre », dont le siège est à Londres, qui veut

Les premières troupes américaines débarquant à Utah Beach le 6 juin 1944. Mémorial de Caen - US Army/Mémorial.

continuer la guerre aux côtés de la Grande-Bretagne afin que la France puisse être présente le jour de la victoire finale. Pour la France libre, le ministère Pétain est une simple autorité de fait, sous la dépendance de l'ennemi.

Peu à peu des forces rejoignent la France libre : des individualités issues des milieux les plus divers et aussi des territoires entiers : le Tchad, le Cameroun, le Congo français, etc., dès 1940, la Syrie et le Liban en 1941, Madagascar en 1942. En France même, la Résistance a été le fait de multiples mais peu nombreuses individualités; des réseaux d'évasion d'aviateurs alliés abattus, de prisonniers français évadés qui veulent continuer la lutte, pour le renseignement, le sabotage, la protection des juifs, etc., se constituent lentement et très difficilement; en effet l'efficacité des services de police allemands est renforcée par l'aide que leur apporte la police française; les arrestations, les tortures, les exécutions et les déportations freineront mais n'empêcheront pas le développement des réseaux de la Résistance. À partir de 1942 et surtout de 1943, l'instauration du Service du travail obligatoire en Allemagne (STO) facilitera la constitution de maquis armés. Une étape décisive de la Résistance sera la coordination réalisée par Jean Moulin en mai 1943; à la mort de celui-ci sous la torture, Georges Bidault est élu par le CNR (Comité national de la Résistance) pour lui succéder. Les groupes paramilitaires de la Résistance sont constitués en Forces françaises de l'intérieur (FFI) en février 1944.

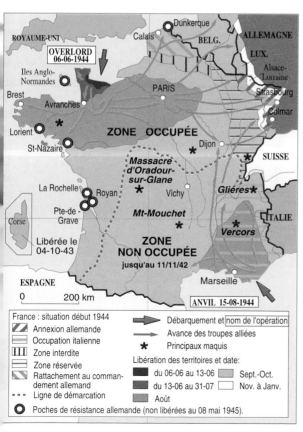

La France au début de 1944

La France libre

Après son appel à la résistance du 18 juin 1940, le général de Gaulle prend le titre de « chef des Français libres ». Un Comité français national provisoire se crée le 7 août et se transforme par la suite en Comité national français (1941-1943) puis en Comité français de libération nationale (1943-1944); une Assemblée consultative provisoire siège à Alger à partir de 1943 tandis que le Comité devient le Gouvernement provisoire de la République française.

Le général de Gaulle au micro de la BBC le 30 octobre 1941.
La radio (la télévision n'existait pas encore) a joué un rôle essentiel pour la France durant la Seconde Guerre mondiale : c'est elle qui a véhiculé l'appel du 18 juin, les nombreux discours des dirigeants des Français libres (en premier lieu ceux du général de Gaulle) et aussi les messages codés qui assuraient la liaison entre Londres et la Résistance ; les opérateurs radio travaillant en France, soit des résistants, soit des techniciens formés en Angleterre et parachutés en France, ont payé un très lourd tribut pour leur action essentielle.
SIRPA/ECPA.

Le camp de Drancy d'où partaient les convois pour les camps de la mort.
Drancy a été une véritable antichambre de la mort pour de nombreux résistants et des familles juives, en particulier celles victimes des rafles opérées par la police française ; ce sont du reste des gendarmes et des fonctionnaires français qui contrôlaient ce camp.
Bibliothèque du Centre de documentation juive contemporaine.

L'arrivée des Américains le 20 juin 1944 à Valognes (Manche), cité sinistrée après plusieurs bombardements à partir du 6 juin. La résistance opposée par les forces allemandes en Normandie s'est manifestée par de difficiles combats qu'ont eu à mener les forces alliées; les dégâts, en particulier ceux provoqués par les bombardements aériens, ont été très importants. Le front allemand n'a été enfoncé qu'à la mi-août 1944.

Mémorial de Caen - US Army/Mémorial.

Les généraux de Gaulle, Leclerc et Kœnig.
Charles de Gaulle (1890-1970) était un militaire de carrière; général de brigade temporaire, il lance de Londres, le 18 juin 1940, son célèbre appel à la résistance; il démissionne de son poste de président du Gouvernement provisoire en 1946, fonde un parti politique (le RPF) et après une « traversée du désert » de douze ans, revient au pouvoir en 1958 à la faveur de la crise algérienne; il exerça pendant plus de dix ans les fonctions de président de la République et démissionne en 1969 à la suite de son échec à un référendum sur la régionalisation.

Philippe Leclerc de Hautecloque (1902-1947), également militaire de carrière, rejoint de Gaulle à Londres dès juillet 1940. Envoyé au Cameroun (septembre 1940), il rallie le Gabon à la France libre, rejoint avec ses troupes les forces britanniques à Tripoli (Libye) après ses victoires sur les Italiens à Koufra. A la tête de la 2e division blindée, il contribue à la libération de Paris, libère Strasbourg et s'empare de Berchtesgaden, en Bavière. Responsable militaire en Indochine, il est favorable à de véritables négociations sur l'indépendance du Vietnam mais s'incline devant l'avis défavorable de De Gaulle. Il meurt dans un accident d'avion au Sahara.

Pierre Kœnig (1898-1970), ancien engagé volontaire à 17 ans de la Première Guerre mondiale, rejoint de Gaulle en juin 1940; il s'illustre à la tête des Forces françaises à Bir Hakeim (juin 1942); commandant en chef des Forces françaises de l'intérieur (1944) et des Forces françaises d'occupation en Allemagne.

Collection M. Sclaresky.

En un demi-siècle, depuis la fin de la Seconde Guerre mondiale, la France a connu des mutations considérables avec une accélération sensible depuis les années 1970. Aucun secteur n'a échappé à ce processus ainsi que nous allons le constater.

Les bouleversements économiques et sociaux

Dans un premier temps il s'agissait avant tout de reconstruire une économie ruinée par la guerre proprement dite et par les prélèvements allemands ; cela s'est fait dans un cadre

« *Retroussons nos manches, ça ira encore mieux* »,
affiche de Thébault et Fontséré, 1945.
Musée d'Histoire contemporaine. Photo J. L Charmet.

d'abord assez dirigiste puis à partir de 1950 environ l'expansion s'est effectuée dans un cadre de plus en plus affiché de libéralisme économique ; l'inflation a été très forte (155 % de 1949 à 1968) et ne s'est stabilisée à un niveau faible qu'après 1982.

Un facteur déterminant de l'activité économique a été l'ouverture de la France au marché extérieur, ce qui a constitué une rupture totale avec la politique protectionniste antérieure. La perte du monopole colonial, la création de la communauté européenne engendrée par le **traité de Rome** (1957), le traité instituant l'espace économique européen (1982) ont complètement modifié les conditions générales de fonctionnement de l'économie française en plaçant celle-ci en compétition directe avec des économies ayant des coûts de production peu élevés du fait de la faiblesse de leurs législations sociales.

Ce phénomène de mondialisation a été accéléré par le développement particulièrement rapide des moyens et des techniques de communication puisque ceux-ci permettent de réagir en temps réel à une variation du marché financier.

Dans ce contexte de compétition poussée au paroxysme, quelles ont été les transformations essentielles de l'économie et de la société française depuis 1945 ?

Globalement, la France est passée de l'état de pays industrialisé avec une agriculture extensive à celui d'état fortement urbanisé où le secteur des services occupe une place grandissante et où une agriculture intensive assure un excédent appréciable de la balance commerciale.

Quelques chiffres relatifs à la répartition de la population active : dans l'agriculture 10,5 % en 1975 et 4,4 % en 1998 ; dans l'industrie 37,6 % et 24,9 % ; dans le tertiaire 51,9 % et 70,7 % ; à noter que la part de l'agriculture dans la valeur nationale créée diminue (3,7% en 1990 et 2,44% en 1997); la part de la population vivant en ville (agglomération de plus de 2000 habitants) était en 1950 de 56,8% et de 82,8% en 1990.

Cette population a nettement augmenté dans les années d'après-guerre puis a connu le rythme de tous les pays industrialisés, c'est-à-dire une nette diminution de la natalité. Mais pour comprendre une évolution démographique il faut se placer dans le long terme : jamais la France ne s'est remise des deux grandes « saignées » que furent les guerres de la Révolution et de l'Empire et la Première Guerre mondiale. C'est l'immigration qui a toujours compensé le déficit naturel ou le faible excédent. La population totale est passée de 41,7 millions d'habitants en 1950 à 53,7 en 1990 et 58,7 en 1998. L'immigration n'est pas un phénomène d'aujourd'hui et était déjà un phénomène de masse dès le Second Empire : en 1866 la France comptait déjà 655 000 étrangers installés (près de 1 million en 1901, près de 3 en 1931).

Bouleversements économiques mais aussi sociaux, aggravés dans leurs conséquences humaines par l'apparition et le développement du chômage à partir de 1975, dépassant le chiffre de 3 millions en 1993; il décroît légèrement mais régulièrement depuis 1997.

La société française a profondément évolué depuis 1945 dans son comportement; 1968 a été incontestablement une date charnière car des structures jusque-là stables depuis des décennies ont cessé de l'être. Quelques données méritent d'être soulignées :

— l'espérance de vie à la naissance était en 1952 de 65 ans pour les hommes et de 71,2 pour les femmes; en 1985 de 71,3 et 79,4 et en 1995 de 73,9 et 81,9;

La signature du traité de Rome (mars 1957) : les six ministres européens ont signé les traités du Marché commun et de l'Euratom (de gauche à droite : Christian Pineau, Maurice Faure et Adenauer).
© Keystone.

— le nombre de naissances hors mariage est passé de moins de 100 000 sur 800 000 en 1975 à 300 000 sur 800 000 également; l'institution du mariage a perdu de son caractère habituel d'autant que le nombre de divorces augmente (81 200 en 1980, 108 100 en 1992);

— la structure des dépenses des ménages évolue sensiblement : pour l'alimentation 22,3 % en 1980 et 19,2 en 1995 (en recul) et pour le logement 30,2 et 32,4 (en progression).

Les transformations politiques

De 1945 à nos jours, le régime politique de la France est passé de la démocratie parlementaire à la prééminence de l'exécutif mais cette formulation doit être nuancée.

Deux périodes doivent être distinguées, correspondant à deux Constitutions.

De **1946 à 1958**, c'est la IVe République née de la disparition des dispositions constitutionnelles de 1875 et de l'adoption par référendum de la Constitution de 1946; il s'agit d'un système bicaméral (Assemblée nationale, Conseil de la République dénommé ensuite Sénat) avec un président de la République élu par les deux Assemblées pour sept ans avec des pouvoirs très limités. De 1944 à 1946 le général de Gaulle avait présidé un Gouvernement provisoire dont il démissionna, étant en désaccord avec l'orientation générale de l'Assemblée constituante.

Dans un premier temps (1946-1947), le gouvernement correspond à une majorité tripartite : socialistes, communistes (dont le parti obtient la première place aux élections législa-

Le président de l'Assemblée nationale Edgar Faure (1908-1988) lisant à l'Assemblée un message du président Giscard d'Estaing. Edgar Faure a été un personnage politique très caractéristique de la IVe République; avocat, agrégé de droit romain, doté d'une agilité d'esprit et d'une culture exceptionnelles, il a occupé à maintes reprises des fonctions ministérielles de 1949 à 1958 et de 1966 à 1973, après avoir été procureur général adjoint au procès de Nuremberg; il sera président de l'Assemblée nationale de 1973 à 1978.
© Keystone.

Manifestation de rue en Mai 68, angle boulevard Saint-Michel et rue Racine : heurts entre policiers et étudiants.
© Keystone.

tives) et chrétiens-démocrates (MRP). L'expulsion des communistes du gouvernement en mai 1947 donne naissance à l'ère de la « troisième force » (socialistes et MRP) face aux communistes et au parti créé par le général de Gaulle (Rassemblement du peuple français), qui dirigera le pays jusqu'en 1952 ; Antoine Pinay réussit alors à diviser le groupe parlementaire RPF et à intégrer certains de ses membres à la majorité gouvernementale mais les crises ministérielles comme dans la période antérieure sont nombreuses ; les événements extérieurs (sur lesquels nous reviendrons plus loin) jouent un rôle très important et c'est la guerre d'Algérie qui provoquera la chute du régime en mai 1958 avec l'instauration d'un nouveau système constitutionnel.

La Constitution de 1958 modifie complètement le cadre politique de la France : renforcement du pouvoir exécutif, rôle prédominant du président de la République (élu au suffrage universel direct à partir de 1965), diminution extrêmement forte des pouvoirs de l'Assemblée nationale.

La nouvelle période qui s'ouvre avec l'arrivée au pouvoir du général de Gaulle et du parti qui le soutient (UNR puis RPR) changera insensiblement mais cependant nettement de caractère après la démission en 1969 du général de Gaulle ; les **événements de mai 1968** (d'abord une grève des étudiants puis un immense mouvement de revendications sociales soutenu par une longue grève générale) ont secoué en profondeur le pays même si la conséquence immédiate a été l'élection, à la suite de la dissolution prononcée par le président de la République, d'une Assemblée « introuvable » comme en 1815.

Comme un effet différé des événements de mai 1968, le général de Gaulle démissionne un an plus tard à la suite du rejet par référendum de son projet sur la transformation du Sénat. Un gaulliste, Georges Pompidou, dont l'annonce de sa candidature éventuelle a contribué à l'échec de De Gaulle, est élu en 1969. À sa mort, le parti gaulliste (RPR) perd la présidence de la République qu'il ne retrouvera qu'en 1995.

Après avoir mis en ballottage de Gaulle en 1965 et avoir été battu par Valéry Giscard d'Estaing en 1974, François Mitterrand, socialiste, est élu président de la République en 1981 et devient, étant réélu en 1988, le seul président français à avoir exercé en totalité deux mandats successifs.

De 1981 à 1983, le gouvernement de Pierre Mauroy applique le programme du candidat Mitterrand

La passation de pouvoir en 1995
entre François Mitterrand et Jacques Chirac.
Archives Ouest-France.

mais à partir de 1983, la France en proie à une crise financière inverse sa politique économique dans le sens du libéralisme afin de rester dans le système monétaire européen : la marche vers le transfert des prérogatives nationales en matière de monnaie est ainsi engagée.

Le fonctionnement des institutions a été directement influencé par l'évolution du rapport des forces entre la gauche et la droite avec le phénomène de la cohabitation, c'est-à-dire une situation où le président de la République et le Premier ministre appartiennent à des camps politiques opposés. Ceci s'est produit trois fois : de 1986 à 1988 (François Mitterrand et Jacques Chirac), de 1993 à 1995 (François Mitterrand et Edouard Balladur) ; en 1997 en procédant à une dissolution inattendue et désastreuse pour lui de l'Assemblée nationale, Jacques Chirac provoque une nouvelle cohabitation (avec Lionel Jospin) ; c'est cette troisième cohabitation qui a eu un impact sur les institutions : la position et le rôle du président de la République en ont été amoindris tandis que le Premier ministre, chef de la majorité parlementaire, a une autorité renforcée.

En profondeur, la vie politique a connu d'importantes modifications depuis 1945 ; ainsi le Parti communiste a enregistré une chute brutale de son influence à partir de 1981 à cause à la fois des transformations structurelles de la société française et du retard qu'il a pris dans l'analyse de la nature et des conséquences de ces transformations. De même le passage en 1965 de l'élection présidentielle au suffrage universel et le développement des techniques audiovisuelles ont modifié le comportement des hommes politiques avec une substitution souvent insidieuse de l'image à l'idée.

Tout ceci a provoqué une forte dégradation dans l'opinion publique des sentiments à l'égard du monde politique. L'éclatement de nombreuses « affaires » a entraîné une méfiance accrue des citoyens envers les institutions et les notables et une baisse de la participation électorale : 18,1 % d'abstentions aux élections législatives en 1946, 18,9 % en 1967, 29,6 % en 1981 et 31,6 % en 1997.

Ces « affaires » ont été soit proprement financières (« délits d'initiés » concernant des membres de cabinets ministériels), soit de gestion (les pertes du Crédit Lyonnais), soit politiques (financement des partis, comportement illégal de responsables locaux).

Mais la vie politique au sens profond du terme a été aussi marquée par un fait important : en 1995 inversant la position adoptée jusque-là par ses prédécesseurs, Jacques Chirac a reconnu la responsabilité de l'État en ce qui concerne la collaboration de son administration avec l'occupant de 1940 à 1945.

Comme on l'a vu plus haut, la IVe République a disparu, faute de pouvoir régler une question grave, celle de l'Algérie. Les problèmes de la décolonisation ont occupé une place très importante dans l'histoire de la France d'après 1945 si bien qu'il faut leur accorder la priorité dans l'analyse des événements extérieurs.

Les problèmes extérieurs

En 1945, l'Algérie est un ensemble de départements français (avec une population à deux statuts, inégaux), l'Indochine est une colonie comme l'Afrique équatoriale et occidentale française et Madagascar, tandis que Tunisie et Maroc sont des protectorats.

La France a réagi de manière différenciée, selon les cas, à ce grand mouvement de décolonisation qui s'est développé après 1945 et dont la première grande victoire a été l'indépendance de l'Inde reconnue en 1947 par la puissance colonisatrice, la Grande-Bretagne.

La première colonie à se révolter a été le Vietnam (Tonkin, Annam, Cochinchine) ; le Cambodge obtient son indépendance en 1949

tandis que le Laos ne devient véritablement indépendant qu'en 1954. Avec le Vietnam la guerre va durer neuf ans (1945-1954) et s'achèvera avec la défaite de Diên Biên Phu et les accords de Genève par l'indépendance d'un Vietnam divisé.

Quelques mois après ces accords, c'est le soulèvement de l'Algérie (novembre 1954) : la guerre va durer huit ans jusqu'aux accords d'Évian (1962) qui reconnaissent l'indépendance de l'Algérie ; la IVe République y a succombé et le régime du général de Gaulle avait dû faire face à la poussée d'extrême droite conduite par certains officiers entraînant avec eux une partie de la population non musulmane.

En revanche la décolonisation a été en général menée par la voix pacifique dans les autres pays ; notons cependant la violente répression de la révolte malgache (1947) et la

La victoire sur le soldat français,
affiche manuscrite du Vietminh, 1945.
B.N.F, Estampes. Photo J.-L. Charmet.

Juillet 1954 : accord pour le cessez-le-feu à Genève : de gauche à droite sur les marches, Phan Van Dong, Mendès France, A. Eden.
© Keystone.

déposition (1953) et le retour de Mohammed V au Maroc, la révolte partielle du Cameroun (1955-1962) et les troubles en Tunisie avec l'arrestation de Bourguiba (1952) et son retour (1955).

L'indépendance de la Tunisie (gouvernement Mendès France 1955) et du Maroc (gouvernement Pinay 1955) est acquise.

Pour les colonies d'Afrique noire et de Madagascar, le processus se fait en deux temps : mise en place de pouvoirs locaux (loi-cadre Defferre en 1956) et ensuite indépendance entre 1958 (Guinée) et 1960 (autres pays).

Le cas de la Nouvelle-Calédonie se pose plus tard ; les accords de Nouméa (1992, gouvernement Rocard) ouvrent le chemin à l'indépendance.

Dans le *domaine international* proprement dit, la politique française a sensiblement évolué, l'axe de référence étant la position à l'égard des Etats-Unis. De 1945 à 1958, la France, qui fait partie de l'Alliance atlantique se manifeste par la volonté d'indépendance dans ses rapports avec l'Union soviétique qui constitue un des piliers de la politique étrangère conduite par le général de Gaulle. L'appui à la fois politique et financier des États-Unis dont la France a besoin lors de la guerre d'Indochine en est une des causes ; il en est de même à un degré différent lors des premières années de la guerre d'Algérie. Après 1958, la situation est différente : la possession de l'arme nucléaire (premier essai en 1960), le retrait de l'organisation militaire (OTAN) de l'Alliance atlantique (1966) concrétisent cette volonté d'indépendance qu'il ne faut cependant pas surestimer ; ainsi en 1962, lors de la crise américano-soviétique à propos de Cuba, la France s'est placée résolument aux côtés des États-Unis. Mais l'idée centrale était bien de se situer à l'intérieur du monde bipolaire dans une situation à part, avec la création d'un axe franco-allemand solide. Ainsi par le discours de Phnom Penh (1966), le général de Gaulle marque expressément sa désapprobation de la politique américaine au Vietnam.

De l'écu à l'euro

La première pièce de monnaie appelée écu (de *sculptum* = bouclier portant des armoiries) date de Saint Louis et pesait 4 g d'or fin. Le mot « franc » a désigné la pièce d'or fin (3,87 g) frappée en 1356 pour payer aux Anglais la rançon du roi Jean le Bon et le rendre ainsi « franc », c'est-à-dire libre ; en 1803 Bonaparte instaure le « franc germinal » (0,29 g d'or fin) dont la valeur restera stable jusqu'en août 1914 (la pièce de 20 F est le « napoléon »). Les dévaluations successives depuis le « franc Poincaré » (0,059 g) conduiront au « nouveau franc » (1959) jusqu'à l'introduction de l'euro (= 6,56 F en arrondi).

Obsèques des victimes au métro Charonne (février 1962).
Cette manifestation a marqué une date essentielle dans le processus qui a conduit à la fin de la guerre d'Algérie ; l'OAS (Organisation de l'Armée secrète qui réunit les tenants jusqu'au boutistes de l'Algérie française) organise une série d'attentats, en France ; le 7 février 1962, une petite fille de 4 ans est défigurée par une explosion au rez-de-chaussée de l'immeuble habité par André Malraux. Pour protester, une très grande manifestation est organisée le 8 par les partisans de la paix en Algérie. Des unités spéciales de la police parisienne, en chargeant le cortège, provoquent l'étouffement de neuf manifestants dans l'escalier du métro Charonne. Leurs obsèques sont l'occasion d'une nouvelle et considérable manifestation. Les accords d'Evian sur l'indépendance de l'Algérie seront signés le 18 mars 1962.
© Keystone.

Une inflexion sensible de la politique française se produira à partir de 1974 et se poursuivra ensuite. La disparition du système soviétique à partir de 1990 modifie complètement les données du problème : le monde a cessé d'être bipolaire et la question qui se pose est celle de la construction d'un contrepoids à l'influence qui se veut sans limites des Etats-Unis ; la référence va devenir l'organisation d'une politique étrangère européenne autonome sur la base de l'union européenne.

C'est en 1957 qu'est signé à Rome le traité créant une Europe à six mais la date la plus importante est bien plutôt 1986 avec l'Acte unique qui prévoit la création d'un « grand marché unique » au 1er janvier 1993 dont les modalités sont précisées en 1992 (traité de Maastricht) avec en particulier la création de l'euro, monnaie unique, ce qui correspond à l'abandon d'une prérogative nationale essentielle sur le plan politique et économique. Le traité sera ratifié par référendum avec une courte majorité (51,1 %).

Entre-temps, la France a progressivement intégré l'OTAN, participé à la guerre du Golfe conduite par les États-Unis contre l'Irak (1991) et s'est efforcée dans l'affaire du Kosovo, où le poids militaire et politique des États-Unis était prépondérant, de faire entendre sa voix.

La naissance du département

Création de la Révolution française, cette circonscription administrative est, en cette fin de siècle, doublement menacée : en haut par la région et en bas par le « pays ». Sa naissance en 1789-1790 n'a pas été aisée car plusieurs projets se sont alors affrontés : découpage purement géométrique du territoire (80 départements plus Paris, 720 districts et 6480 cantons), maintien ou non des limites des anciennes provinces, nombre plus ou moins élevé des départements, choix des noms des départements, choix des chefs-lieux, etc. En définitive la détermination des départements et des chefs-lieux a été effectuée pour permettre à chaque citoyen de venir au chef-lieu, de quelque point que ce soit du département en une journée de voyage.

L'ensemble de la zone de la Défense, au nord-ouest de Paris, a fait l'objet d'un aménagement global à partir de 1958 ; les travaux, qui ont débuté en 1965, se sont achevés en 1989. Ce seul quartier des affaires, ensemble immense d'immeubles élevés où se sont installés de nombreux sièges sociaux d'entreprises nationales et internationales, s'étend sur 80 hectares. Photo Hervé Champollion.

France métropolitaine : 96 départements (depuis 1975),
3995 cantons (en 1995) et 36560 communes (en 1997).

TABLE DES MATIÈRES

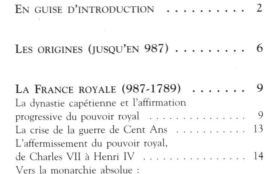

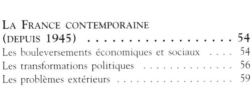

Cartographie : AFDEC (pages 6, 9, 13, 19, 31),
Patrick Mérienne (pages 2, 8, 29, 44, 51, 63).

Cet ouvrage a été achevé d'imprimer par l'imprimerie L'Indépendant à Château-Gontier (53)
I.S.B.N. 2.7373.2609.5 - N° d'éditeur :3990.01.09.03.01
Dépôt légal : mars 2001